BEAR GRYLLS
MISJA PRZETRWANIE

ATAK REKINA

Tłumaczenie: Kamil Lesiew

Pascal

Mojemu śp. ojcu, Mickeyowi.

Za to, że nauczył mnie,

co znaczą miłość,

zabawa i przygoda.

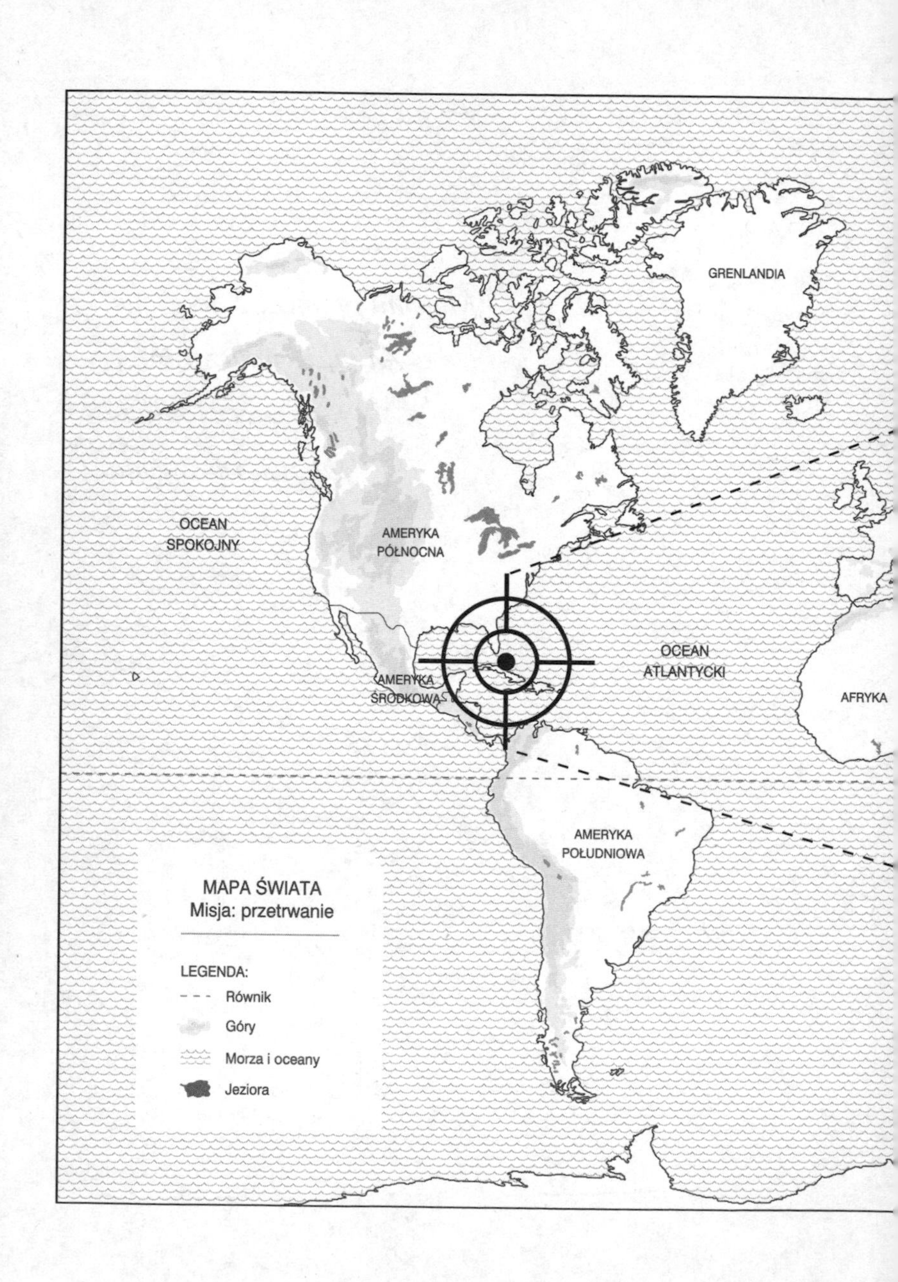
GRENLANDIA
OCEAN
SPOKOJNY
AMERYKA
PÓŁNOCNA
OCEAN
ATLANTYCKI
AMERYKA
ŚRODKOWA
AFRYKA
AMERYKA
POŁUDNIOWA
MAPA ŚWIATA
Misja: przetrwanie
LEGENDA:
Równik
Góry
Morza i oceany
Jeziora

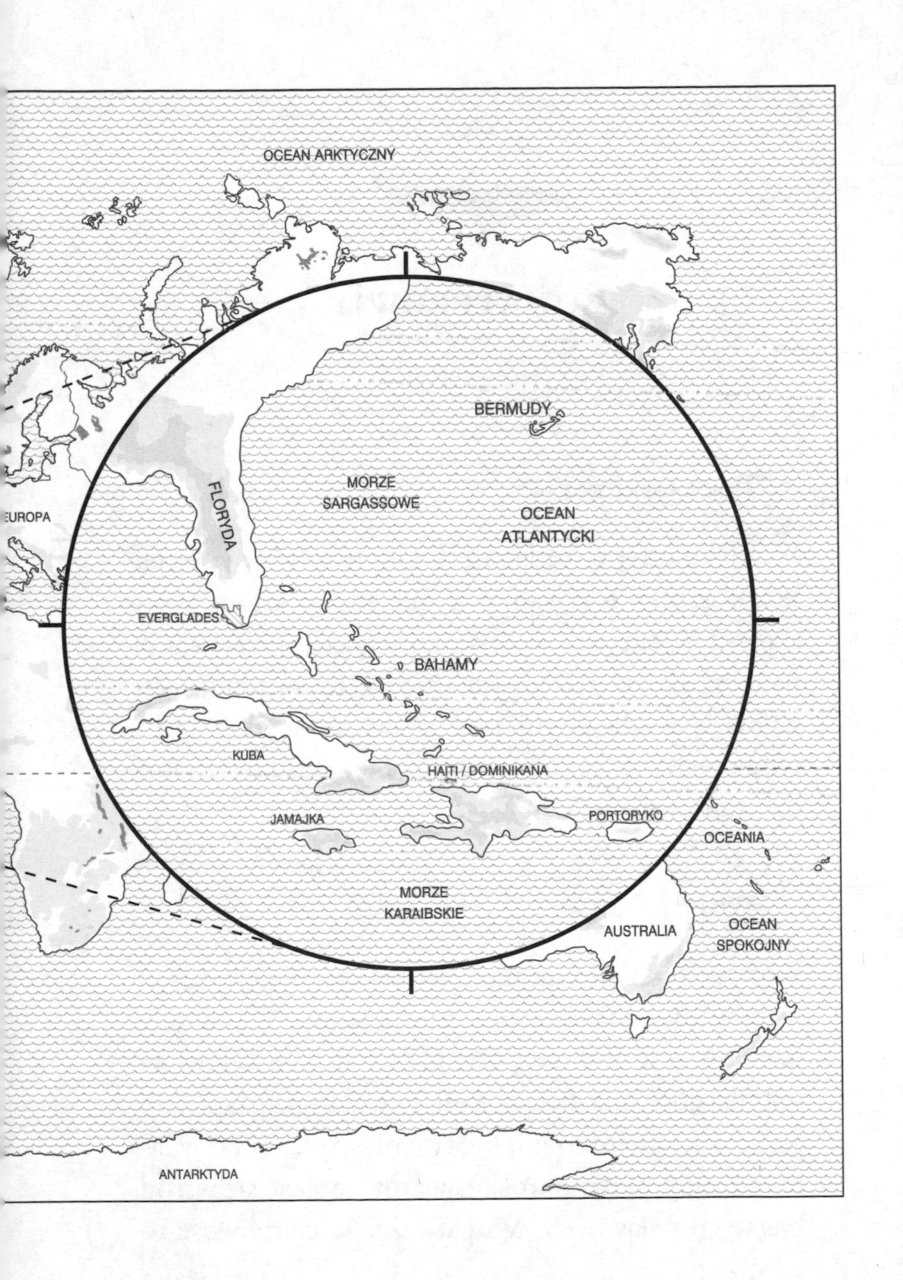
OCEAN ARKTYCZNY
EUROPA
BERMUDY
FLORYDA
MORZE
SARGASSOWE
OCEAN
ATLANTYCKI
EVERGLADES
BAHAMY
KUBA
HAITI / DOMINIKANA
JAMAJKA
PORTORYKO
OCEANIA
MORZE
KARAIBSKIE
AUSTRALIA
OCEAN
SPOKOJNY
ANTARKTYDA

BOHATEROWIE

Beck Granger

W wieku czternastu lat Beck Granger wie więcej na temat sztuki survivalu niż niejeden ekspert wojskowy. Wielu trików gwarantujących przetrwanie nauczył się od rdzennych ludów zamieszkujących najbardziej odległe miejsca na świecie – od Antarktydy po afrykański busz – które odwiedził wraz z rodzicami i wujem Alem.

Wuj Al

Profesor sir Alan Granger jest jednym z najbardziej szanowanych na świecie antropologów. Choć rola jurora w reality show przyniosła mu nieoczekiwaną popularność, dla Becka i tak zawsze pozostanie on po prostu wujem Alem, który woli spędzać czas w laboratorium przy mikroskopie, niż obracać się wśród bogatych i sławnych. Wuj uważa, że cierpliwość to cnota i wyznaje zasadę „nigdy się nie poddawaj". Przez ostatnich kilka lat był opiekunem Becka, który zaczął go postrzegać jako drugiego ojca.

David i Melanie Grangerowie

Rodzice Becka kierowali operacjami specjalnymi działającej na rzecz ochrony środowiska organizacji Jednostka Zielona. Wraz z Beckiem mieli okazję spotkać ludzi żyjących w najbardziej nieprzyjaznych człowiekowi rejonach świata. Beck wcześnie stracił rodziców, ich awionetka rozbiła się w dżungli. Ciał nigdy nie odnaleziono, nie wyjaśniono też przyczyny wypadku...

James Blake

James jest wysoki, barczysty i rok starszy od Becka. Fascynuje się nauką i wie dużo na temat legend dotyczących Trójkąta Bermudzkiego, choć nie wierzy, że za zaginięcia w tym rejonie odpowiadają zjawiska paranormalne. Niechętnie dał się namówić na rejs swojej matce, Abby, która chce, żeby James pracował w rodzinnej firmie, podczas gdy on sam skłania się ku ekscytującemu i pełnemu przygód życiu na łonie natury.

ROZDZIAŁ 1

Beck Granger wpatrywał się szeroko otwartymi oczami w światła, które zdawały się gorętsze niż słońce na Saharze. Czuł na sobie setki zaciekawionych spojrzeń ludzi w studio. Nieraz patrzył niebezpieczeństwu w twarz, ale nic nie przygotowało go na obecność w telewizji na żywo. Ani jadowite węże, ani sumatrzański tygrys, ani nawet czyhający na jego życie bandyci. Miał sucho w ustach, w gardle, jego język przypominał pas sztywnej skóry. Cała woda w organizmie szła na produkcję potu, który zalewał mu włosy i pachy. Śmiertelne przerażenie wciskało go w krzesło.

– Beck? – Przez jego spłoszone myśli przebił się głos. – Beck?

Powoli przeniósł wzrok na kobietę siedzącą na kanapie naprzeciw niego.

Mandy Burrows, gospodyni *Poranka z Mandy*, musiała być mniej więcej w tym samym wieku, w jakim byłaby jego matka. Uśmiech miała przyjazny, głos łagodny i zachęcający. Jedna z kamer za jej plecami najechała na jego twarz. Nad obiektywem świeciła się czerwona lampka, co oznaczało, że przekazywała obraz na żywo. W tej chwili wpatrywały się w niego tysiące widzów talk-show.

Mandy zwykle potrafiła sprawić, by jej goście się odprężyli i odpowiedzieli na proste pytania. Przeważnie jednak rozmawiała z gwiazdami muzyki pop, kucharzami, projektantami, a nie sparaliżowanymi tremą nastolatkami. Kiedy wreszcie udało jej się przykuć uwagę chłopca, powtórzyła pytanie:

– Beck, kiedy po raz pierwszy musiałeś walczyć o przetrwanie?

– Yyy... – Sięgnął po szklankę, żeby zebrać myśli. Wuj Al, przygotowując go do wywiadów na żywo, których sam swego czasu udzielił wiele, poradził mu: „Jeśli potrzebna ci chwila, napij się wody". Dzięki temu, tłumaczył, nie będziesz siedział jak ta mumia, zwilżysz gardło i sklecisz sensowne zdanie. Wszystko po to, by nie zrobić z siebie idioty na oczach widzów. – Hm, chyba z rodzicami... – Gdy po studio poniósł się chichot, uświadomił sobie, jak to zabrzmiało. Wysilił się na uśmiech. – Nie, znaczy, to nie z nimi musiałem się zmagać, ale to oni zabrali mnie...

Dalej już poszło gładko. Mówił o swojej pasji, o przygodach na łonie natury, które przeżył ze swoimi rodzicami ekologami.

– Rodzice mogli po prostu zostawiać mnie pod opieką znajomych na czas wyjazdów, ale nie chcieli. Woleli, żebym dorastał przy nich. Więc zabierali mnie ze sobą. I kiedy oni zajmowali się swoimi ważnymi sprawami, ja miałem okazję się uczyć. – Wzruszył lekko ramionami.

Jednostka Zielona, organizacja, dla której pracowali jego rodzice, wysyłała ich w różne zakątki globu. Ich działalność przyniosła wiele korzyści całej planecie i zamieszkującym ją ludziom. Beck podążał za nimi, a przy okazji chłonął wiedzę. Kiedy oni zajmowali się zwalczaniem kłusownictwa w Botswanie, on uczył się od starszyzny plemiennej, jak tropić zwierzęta w kotlinie Kalahari. Gdy oni pojechali za koło podbiegunowe w Finlandii, by zgłębić zielarskie praktyki lecznicze Lapończyków, on uczył się znajdować pożywienie i schronienie, by przetrwać w przenikliwym chłodzie na śnieżnym pustkowiu. Przez długi czas Beck myślał, że takie życie to coś normalnego.

Mandy nachyliła się do niego. Jej twarz spoważniała, a głos nieco się zniżył. Wyraźnie uważała, że to, co zaraz powie, będzie bardzo wnikliwe i głębokie.

– Oczywiście, Beck, twoi rodzice zginęli tragicznie, gdy byłeś jeszcze bardzo młody – ale to nie był koniec twoich przygód. Chcąc, nie chcąc... hm, zobaczmy, miałeś do czynienia z bossami narkotykowymi w Ameryce Południowej, przemytnikami diamentów w Afryce... Żyjesz dość ryzykownie jak na czternastolatka! Nie sądzisz, że poniekąd świadomie narażasz się, by dorównać rodzicom?

Beck poczerwieniał. Jeszcze niedawno wydawało mu się, iż prawie pogodził się ze śmiercią rodziców. Aż nagle, w Australii, dowiedział się rzeczy, które rozjątrzyły tę starą ranę. Rzeczy, o których nie mógł mówić publicznie. Nie chciał, żeby ktokolwiek mu o nich przypominał.

– To nie tak, że szukam kłopotów – sprzeciwił się. – Znaczy, chodzę teraz do zwykłej angielskiej szkoły, nie podróżuję, no, tylko w wakacje… – Mandy kiwnęła potakująco głową, a on podjął: – Jakoś tak wychodzi, że one znajdują mnie same. Wciąż natykam się na problemy, które trzeba rozwiązać. Rodzice na pewno by nie chcieli, żebym siedział bezczynnie na czterech literach!

Jego rumieniec pogłębił się, kiedy najpierw dwie, a potem cztery pary rąk na widowni zaczęły bić brawo. Naraz całe studio utonęło w oklaskach.

Mandy znów się uśmiechnęła.

– Dziękuję za rozmowę. Beck Granger, proszę państwa.

ROZDZIAŁ 2

– Brawo, Beck. Dobrze powiedziane!

Wuj Al czekał za kulisami. W telewizorze wyglądało to tak, jakby Beck siedział w wygodnym salonie z widokiem na Londyn. Ale to był tylko plan w studio. Za nim znajdowały się ściany ze sklejki, kable i monitory, między którymi krzątali się członkowie ekipy filmowej.

Wuj Al – a właściwie profesor sir Alan Granger – był opiekunem Becka od czasu śmierci jego rodziców. Ostatnio pełnił też funkcję menedżera, zarządzając raczkującą karierą medialną opornego bratanka.

Wszystko potoczyło się błyskawicznie po jego powrocie z Australii. Zadarł tam z Lumosem, podstępną korporacją zmierzającą do przejęcia i skażenia rozległych obszarów Outbacku[1]. Lumos w ogóle nie liczył się z tym, że zniszczy naturalne dzikie rejony stanowiące tradycyjne dziedzictwo Aborygenów. Przy okazji Beck dokonał bezcennego odkrycia archeologicznego – znalazł jaskinię pełną prehistorycznych malowideł naskalnych, o których wieść obiegła cały świat.

Beck spodziewał się, że sprawa szybko przycichnie, ale jakiś reporter skojarzył jego nazwisko z innym incydentem związanym z Lumosem sprzed kilku lat. Koncern musiał wtedy porzucić zamiary przeprowadzenia odwiertów na ziemiach plemiennych Anaków na Alasce po tym, jak Beck i jego przyjaciel Tikaani nagłośnili całą aferę w mediach.

Reporter dodał dwa do dwóch, a Beck dowiedział się o tym dopiero, gdy w sieci pojawił się artykuł pod tytułem CHŁOPIEC KONTRA KORPORACJA: KOLEJNE ZWYCIĘSTWO.

[1] Słabo zaludnione rozległe pustynne, półpustynne lub górzyste obszary środkowej Australii (przyp. red.).

Z tekstu można było wywnioskować, że Beck specjalnie jeździ po świecie, udaremniając jeden niecny plan za drugim. A wcale tak nie było. Ludzi jednak nie interesowały fakty… Od tamtej pory telefon nie przestawał dzwonić.

PR-owcy Lumosu, którym oddano do dyspozycji wielomilionowy budżet, oraz zatrudnieni przez koncern renomowani prawnicy w pocie czoła tuszowali jakiekolwiek powiązania z Beckiem. Ale to wzbudziło tylko jeszcze większe zainteresowanie opinii publicznej. Czy Beck zgodziłby się na wywiad? Zdjęcie do czasopisma? A może napisałby książkę?

I wtedy do akcji wkroczył wuj Al. Umiał sobie radzić z mediami dzięki doświadczeniom z Jednostką Zieloną i własnymi projektami telewizyjnymi. Al stanowił pierwszą linię obrony Becka. Dbał o to, żeby nikt nie wykorzystał bratanka, nie oszukał go ani nie zmusił do czegoś wbrew jego woli. Pilnował też, żeby wszystkie gaże zasilały konto przeznaczone na studia Becka, bo zakładał, że chłopak zechce kontynuować edukację.

To Al przekonał go do tego wywiadu. „Możemy pokazać widzom, kim naprawdę jesteś – po prostu zwyczajnym chłopcem!”.

Beck nie był przekonany, czy to mu się udało. Był za to całkiem pewien, że „zwyczajni” chłopcy nie robili takich rzeczy jak on.

– „Nie sądzisz, że poniekąd świadomie narażasz się, by dorównać rodzicom?” – wyrecytował Beck, przedrzeźniając egzaltowany ton Mandy i odtrącając rękę wuja, gdy ten zwichrzył mu włosy.

– Dałeś świetną odpowiedź. Zdominowałeś wywiad. Właśnie tak się to robi.

– No nie wiem, wujku – odparł Beck i pchnął drzwi do garderoby.

Zatrzymał się w progu zaskoczony, widząc w środku obcego mężczyznę. Nieznajomy zerwał się z fotela i ruszył w jego stronę, mówiąc:

– Hej, ty musisz być Beck! Co powiesz na wypad na Karaiby?

ROZDZIAŁ 3

Beck zamrugał zdezorientowany.

– Co, kiedy, gdzie, jak?

– Daj mu trochę odetchnąć, Steven – wuj upomniał przybysza, choć nie wydawał się zaskoczony jego widokiem. Delikatnie wepchnął Becka do środka.

Choć włosy miał ciemne i gęste, mężczyzna musiał być w wieku Ala. Ubrany był swobodnie, choć elegancko, w chinosy[2] i kurtkę z cielęcej skóry. Szeroki, lśniący uśmiech niegdyś spodobałby się Beckowi. Ostatnio jednak, obracając

[2] Spodnie męskie o klasycznym kroju z miękkiego materiału, z dwiema ukośnymi kieszeniami z przodu i dwiema wpuszczanymi z tyłu.

się w światku celebrytów, chłopak naoglądał się wiele tego typu uśmiechów i nauczył się im nie ufać.

– Wybacz, wybacz! – Mężczyzna cofnął się z gracją, wciąż z tym wielkim uśmiechem przyklejonym do twarzy, i uniósł ręce w geście kapitulacji. – Nie chciałem cię stawiać pod ścianą. – Skrzywił się lekko, ale jego oczy nadal skrzyły się pogodnie.

Al zamknął za nimi drzwi.

– Beck, poznaj mojego starego przyjaciela, Stevena Holbrooka...

To wystarczyło, by uspokoić Becka. Nigdy wcześniej nie słyszał tego nazwiska, lecz Al nie nazwałby kogoś „starym przyjacielem", gdyby ten ktoś nie był absolutnie godny zaufania.

– Cieszę się, że mogłeś przyjść, Steven – podjął Al. – Tak mi przykro z powodu Pauli.

– Och... Dzięki. – Twarz mężczyzny pociemniała. Cokolwiek stało się z tajemniczą Paulą, musiało być to dla niego bardziej bolesne, niż chciał pokazać. Zaraz jednak znów uśmiechnął się szeroko do chłopca. – Beck, muszę ci powiedzieć, że moja córka szaleje z zazdrości. Powiedziałem jej, że będę się z tobą widział i błagała mnie, żebym ją zabrał. Ale ma tylko sześć lat, więc pomyślałem, że ważniejsze, by nie opuszczała lekcji, mam rację?

Ten uśmiech był zaraźliwy i Beck poczuł, jak przenosi się na jego twarz. Zdusił go. Nadal chciał się dowiedzieć, o co właściwie chodzi.

Al i Steven wymieniali nieco skrępowane spojrzenia, jakby zbierali się w sobie, by powiedzieć coś przykrego; Steven wyraźnie nie wpadł tu tylko po to, żeby spotkać się z jego wujkiem. Tylko co to miało wspólnego z Karaibami?

– No więc, Beck, twój wujek mówił mi, że trochę doskwiera ci presja – cała ta sława i takie tam... Co powiesz na to, by oderwać się od tego wszystkiego?

Beck nie zamierzał nic mówić, dopóki nie dowie się czegoś więcej. Posłał Alowi pytające spojrzenie.

– Steven reprezentuje firmę organizującą rejsy turystyczne. Dba o rozrywkę dla pasażerów. Zatrudnia zespoły muzyczne i teatralne…

– Prelegentów… – dodał Steven, szczerząc się szeroko.

– …i prelegentów. – Al odpowiedział mu uśmiechem. – Wiele lat temu angażował mnie, żebym zabawiał dzianych Amerykanów opowieściami o działalności Jednostki Zielonej w czasie, gdy pływaliśmy w kółko po Karaibach.

– Właśnie zacząłem pracę w nowej firmie, która organizuje kameralne rejsy w tym samym rejonie. Szukam dla naszych klientów czegoś świeżego i nietypowego.

– Nie to co ja – rzucił Al tak autoironicznie, że Beck musiał się zaśmiać.

– Ej no, jesteś całkiem nietypowy!

– Och, dziękuję.

– Chcesz tę robotę, Beck? – zaoferował Steven. – Zbliżają się święta, możemy zrobić to wtedy, żebyś nie musiał opuszczać zajęć, a pieniądze są znacznie lepsze niż z rozwożenia gazet. Płyniemy z Miami na Bermudy. Pięć dni w jedną stronę, pięć w drugą. Zdążyłbyś wrócić na Gwiazdkę z wujkiem. – Beck słuchał w milczeniu. – W tym czasie dałbyś dwie, trzy pogadanki. Opowiedziałbyś o sobie, swoich doświadczeniach i survivalu; mógłbyś też wspomnieć o Jednostce Zielonej, ochronie środowiska, innych sprawach, które są dla ciebie ważne. A ponieważ odpowiadam za rozrywkę w czasie rejsu, będę na miejscu, gdybyś czegoś potrzebował. Co ty na to?

– Jak niby ma mi to pomóc się oderwać? – zapytał Beck po chwili zastanowienia.

Steven znów błysnął tym swoim zaraźliwym uśmiechem.

– Powiedzmy, że trzeba być naprawdę ofiarnym paparazzo, żeby ścigać kogoś aż na statek wycieczkowy.

– Hm. – Beck uniósł brew i spojrzał na Ala. – Ty też się wybierasz?

– Ja? Nie. Wykorzystam tę okazję, żeby zabrać się za poważne badania, skoro nie będziesz mi się plątał pod nogami.

Beck znów się zamyślił. Choć podobał mu się pomysł spędzenia przerwy świątecznej w tropikach, nie był do końca przekonany. Lubił przebywać na łonie natury. A wycieczkowiec miał z naturą tyle wspólnego co nic. Filtrowana woda. Silniki spalające olej napędowy. Odgrzewane posiłki z zamrażarki. Krótko mówiąc, nudno i bezpiecznie.

– Spokojnie, nie utkniesz na pokładzie. – Steven najwyraźniej czytał mu w myślach. – Startujemy z Florydy i po drodze będziemy się zatrzymywać na różnych wysepkach. Byłeś kiedyś w Parku Narodowym Everglades, Beck? Naprawdę warto.

Nie, Beck nigdy nie był w tym rejonie. Miał świadomość, że Steven próbuje go przekupić. Ciekawiło go, czy robił to świadomie i wcześniej poradził się Ala. No ale... Everglades! Ponad sześć tysięcy kilometrów kwadratowych bagien i mokradeł na południu Florydy zamieszkiwanych przez niezliczone gatunki egzotycznych zwierząt. Obiło mu się o uszy, że przywracali mokradła do naturalnego stanu po tym, jak w XX wieku próbowano je osuszyć. Jednostka Zielona włożyła wiele wysiłku w uświadomienie ludziom, jak wielkie szkody przynosił taki drenaż.

– Brzmi świetnie – odparł Beck z uśmiechem równie szerokim i pewnym siebie. – Wchodzę w to!

ROZDZIAŁ 4

Beck wydał z siebie radosny okrzyk, gdy wiecha trawiastej kłoci śmignęła ledwie pół metra od jego oczu. Ciepłe, wilgotne powietrze wiało mu w twarz z prędkością sześćdziesięciu kilometrów na godzinę, niosąc ze sobą zapach miliona ton roślinności. Everglades!

Na pierwszy rzut oka bagna wydawały się gęste jak trawnik, jakby można było zwyczajnie się po nich przejść. Ten „trawnik" był jednak w rzeczywistości ciasno zbitym zielskiem wyrastającym z ciemnej wody. Zwykła motorówka nie dałaby rady między nim przepłynąć, bo śruba w mig by się w nie wkręciła. Po mokradłach można było się poruszać jedynie w płaskodennej łodzi z zamontowanym z tyłu potężnym śmigłem samolotowym napędzanym ośmiocylindrowym silnikiem o mocy sześciuset koni mechanicznych. Takiej jak ta, w której teraz siedzieli. Beck zaczynał żywić przekonanie, że to najlepszy środek transportu nie tylko na bagnach, ale i na całym świecie. No dobra, może nie dałoby się podjechać nim do sklepu, ale i tak był czadowy.

Zaledwie czterdzieści osiem godzin temu Beck był w Londynie – w przenikliwie zimny szary dzień wracał do domu ze szkoły po zakończeniu semestru. Dwadzieścia cztery godziny później dotarł ze Stevenem Holbrookiem na podzwrotnikową Florydę, gdzie mieli przejść aklimatyzację, zanim wsiądą na statek. Nie mógł uwierzyć własnym oczom, gdy w centrum handlowym zobaczył Świętego Mikołaja ubranego w tradycyjny czerwony strój, otoczonego przez dzieci w T-shirtach i szortach.

Beck nachylił się i podniósł głos, żeby Steven mógł go usłyszeć.

– Londyn się nie umywa!

Steven kurczowo trzymał się relingu. Jedno oko miał zamknięte, drugie tylko w połowie otwarte, by widzieć, dokąd płyną. Mężczyzna zwykle wydawał się myśleć, że świat jest jednym wielkim żartem – zazwyczaj jego kosztem, ale to i tak było zabawne. Dopiero po chwili przypomniał sobie, żeby się uśmiechnąć.

– Się wie! – zgodził się.

No dobra, uznał Beck, Steven nie lubi pływać z dużą prędkością łodzią, która wydaje się tak źle wyważona, że może się w każdej chwili przewrócić.

Wycieczka zaczęła się dość spokojnie. Łajba sunęła powoli naturalnym kanałem, a opiekujący się turystami strażnik parku pokazywał im florę i faunę, w tym aligatory, które czaiły się tuż pod powierzchnią albo wygrzewały na ławicach, wyglądając jak element krajobrazu, dopóki się nie poruszyły, oraz żółwiaki wylegujące się na kłodach albo wystawiające jedynie sam ryjek nad wodę. Było tu też więcej ptaków, niż ktokolwiek potrafiłby zliczyć.

W końcu jednak nadeszła chwila, na którą Beck czekał. Sternik przyspieszył i łódź wypłynęła na mokradła, mijając w zawrotnym pędzie trawiaste kłocie.

– Właściwie to jest rzeka – strażnik starał się przekrzyczeć warkot silnika. – Woda nie stoi jak w prawdziwym bagnie. Płynie bardzo powoli z północy na południe, a roślinność ją filtruje, więc jest czysta.

Tłumaczył, że na terenie parku nie ma suchego lądu, za wyjątkiem *hammocks* – wysepek na mokradłach, z których część wystaje zaledwie kilka centymetrów nad poziom wody. Łatwo je zauważyć, bo zazwyczaj są porośnięte drzewami. Przypominają zagajniki rozrzucone po otwartej równinie.

– Można spotkać na nich rozmaite zwierzęta – kontynuował strażnik. – Dzikie świnie, szopy pracze, jelenie. Niedługo na chwilę się zatrzymamy…

Faktycznie, niebawem łódź przybiła do wysłużonego pomostu przy jednej z większych wysepek. Była okazja, by rozprostować nogi, skorzystać z toalety i – co Beck zauważył z rozbawieniem, ale bez zaskoczenia – kupić pamiątki. Stoisko z upominkami przypominało *chickee*, czyli tradycyjną stanicę do połowu ryb, na którą składa się podest z drewna palmowego i cyprysowego oraz wsparty na palach spadzisty dach kryty liśćmi palmy. Beck przyznał jej punkty za autentyczność. Widział podobne konstrukcje gdzie indziej. Na całym świecie rdzenne plemiona żyjące w rejonach, które, tak jak Floryda, były nękane huraganami, nie budowały nic na stałe, wiedząc, że następna wichura rozniesie wszystko w pył. Tego typu chatki dało się postawić w pół dnia.

Steven podszedł do końca pomostu i zamarł, z odrazą wpatrując się w rozciągającą się przed nim rozmokłą ziemię. Słysząc śmiech Becka, rzucił mu krzywe spojrzenie.

– Beck, one kosztowały majątek! – jęknął, przenosząc wzrok na nowiutkie zamszowe buty, które kupił z myślą o późniejszym rejsie. – Są z cielęcej skóry, a powszechnie wiadomo, że cielęta się nie brudzą.

– Tak się to robi. – Beck skoczył na błoto i poszurał nogami.

– Okej, okej. – Steven zszedł ostrożnie. – Wszystko jest lepsze niż kuszenie losu na tym ustrojstwie. – Zatarł ręce. – No dobra, to gdzie są koktajle?

– Chyba widziałem bar gdzieś tam. Podawali je w, yyy, kokosach. Z, eee, czterema czy pięcioma likierami w różnych kolorach. I co najmniej trzema parasolkami.

– I to rozumiem, Beck! Za chwilę wracam.

Obaj wiedzieli, że może liczyć co najwyżej na ciepłą puszkę coli. Steven ruszył do *chickee*, a Beck skorzystał z okazji, żeby się dobrze przeciągnąć. Kiedy tak stał, wpatrując się w kłocie, usłyszał Stevena:

– Hej, Beck, spójrz!

Podszedł do niego, zastanawiając się, co tak zaciekawiło mężczyznę, który przykucnął przy krzakach. Kiedy przyjrzał się uważniej, aż gwizdnął. To, co wyglądało jak wielka kępa zwiędłej trawy, ruszało się, ślizgało, odwijało. Minęła chwila, zanim zrozumiał, na co patrzy, a nawet wtedy jego mózg potrzebował jeszcze kilku sekund na odpowiednie przetworzenie obrazu. Wąż maskował się niemal bezbłędnie.

To był pyton, i to duży. Jego grube cielsko, szerokie jak ramię siłacza, pokrywały cętki, które przypominały oblane karmelem krople gorzkiej czekolady. Łuski lśniły niczym dobrze wypolerowana skóra.

– Piękny! – szepnął chłopak ze szczerym zachwytem w głosie.

Znał się na wężach na tyle dobrze, by wiedzieć, że ten nie był jadowity i rzadko atakował ludzi; a nawet jeśli zdecydowałby się na atak, ruszał się wolno, więc wystarczyło się po prostu wycofać. Dopiero gdyby udało mu się kogoś złapać, byłaby bieda – taki duży okaz mógł zadusić dorosłego. Steven najwyraźniej też o tym wiedział, dzięki czemu zyskał kilka punktów w oczach Becka. Może i grymasił, że musi ubrudzić buty, ale wiedział coś o dzikiej przyrodzie.

Ten osobnik wyraźnie chciał, żeby zostawiono go w świętym spokoju.

– Nie wiedziałem, że na Florydzie są pytony – zdziwił się Beck.

– Bo nie ma – odezwał się strażnik parku, podchodząc do nich. – A raczej nie było. Ale jakiś przygłup zaczął importować je jako egzotyczne zwierzaki i niektóre uciekły albo wypuszczono je, gdy zrobiły się za duże i przestały być słodkie... i ni stąd, ni zowąd stały się gatunkiem inwazyjnym. Nieźle dają popalić aligatorom.

Zaczęli się wokół nich zbierać inni turyści, z „ochami", „achami" i błyskającymi fleszami. Pyton poruszył się i uniósł głowę. Wysunął rozwidlony język, badając tłum.

Beck wiedział, że węże są wrażliwe na drgania. Kiedy wędruje się przez teren, w którym roi się od węży, najbezpieczniej jest ciężko stąpać. To da im sygnał, żeby usunęły się z drogi, zanim ktoś w ogóle je zauważy. Ten gad uznał najwyraźniej, że nie podobają mu się drgania wzbudzane przez grupę rozkrzyczanych, cykających fotki turystów, i powoli zaczął się odwijać.

– Ej, kolego, nie bój się. Nikt nie zrobi ci krzywdy.

Nim Beck zdążył go powstrzymać, Steven wyciągnął rękę, by połaskotać węża pod brodą. Pyton cofnął głowę, rozwarł paszczę i wbił zęby w dłoń.

ROZDZIAŁ 5

Steven krzyknął i upadł na plecy, ściskając pokąsaną kończynę. Pozostali turyści lękliwie wciągnęli powietrze i zrobili kilka kroków do tyłu. Jakiś chłopczyk rozpłakał się, szybko znajdując pocieszenie w ramionach matki.

Wąż nie ponowił ataku. Osiągnął swój cel, zmuszając napastnika do odwrotu. Steven wpatrywał się w dłoń, na której zaczęło wykwitać kilka czerwonych punkcików. Nagle, ku zaskoczeniu Becka, roześmiał się i zażartował:

– No to się doigrałem!

Tymczasem ojciec próbował na swój sposób podnieść na duchu pochlipującego synka:

– Hej, mały, już dobrze. Tatuś wszystko naprawi. Spójrz, tatuś policzy się z tym paskudnym wężem. Widzisz? – Podszedł do pytona. – Hej, wężu, a sio! – zawołał, usiłując kopnąć gada.

Beck odruchowo krzyknął w proteście, na szczęście wąż zdołał odpełznąć. Mężczyzna już brał kolejny zamach, kiedy Beck stanął między nim a zwierzęciem.

– Niech pan go zostawi w spokoju!

– Że co? – Mężczyzna spojrzał na niego spode łba. – Pogięło cię, dzieciaku? To coś rzuciło się na tego gościa!

Nagle obok Becka wyrósł strażnik, chcąc udobruchać rozeźlonego turystę. Ale ten tylko jeszcze bardziej się wściekł. Kłótnia rozgorzała na dobre. Ojciec groził, że poskarży się swoim prawnikom.

– Proszę pana – powiedział strażnik, heroicznym wysiłkiem zachowując spokój – czy mogę panu przypomnieć, że to są dzikie zwierzęta…

– Dzikie? Zwierzęta są dzikie? To jest rezerwat przyrody! Chce pan powiedzieć, że trzymacie tu dzikie zwierzęta? Co to za rezerwat, ja się pytam?

Tymczasem Beck odwrócił się do węża, który rezolutnie pełzł w stronę brzegu, by ostatecznie zniknąć w ciemnej toni, lekko wzburzywszy wodę. Pożegnały go trzaski migawek aparatów reszty grupy, która zebrała się wokół, nie wiedząc, czy interweniować, czy nie.

Beck spojrzał na kępę krzaków, w której przed chwilą wylegiwał się gad. Chciał się w spokoju powygrzewać w słońcu, może strawić posiłek. Nie prosił się o to, by przeszkadzała mu grupa rozwrzeszczanych, irytujących ignorantów. W myślach życzył zwierzakowi powodzenia, po czym podszedł do swojego towarzysza.

– No ładnie – odezwał się Steven, zerkając na rozsierdzonego ojca. – Chyba nie skojarzyłem faktów. Nawet niejadowity wąż może cię ucapić. Znaczy, mój kot nie jest jadowity, a i tak cię ugryzie, jeśli dasz mu szansę.

Beck nabrał powietrza, chcąc przypomnieć Stevenowi, jak powinno się obchodzić ze zwierzętami w dziczy, ale ten wydawał się taki skruszony... „No nic – pomyślał. – W końcu został ugryziony, więc dostał nauczkę". Wypuścił powietrze.

– Mogę zobaczyć? – zapytał.

Steven wyciągnął pokąsaną rękę i Beck przyjrzał się jej uważnie. Zęby ledwo przebiły skórę. Było widać kilka kropelek krwi i lekki obrzęk. Cieszył się, że wąż puścił z własnej woli. Nawet zęby niejadowitych gatunków zakrzywiają się do tyłu tak, by ofiara nie mogła się wyrwać.

– Szczepiłeś się przeciw tężcowi?

– W zeszłym roku.

– No to wystarczy odkazić ranki. Pyton nie jest jadowity, ale w jego ślinie mogą być zarazki. Bo wiesz, węże w ogóle nie myją zębów! Może w *chickee* mają apteczkę.

– Sprawdźmy – powiedział Steven.

Gdy szli do chatki, przyciskał rękę do piersi, a z jego twarzy nie schodził grymas, ale raczej nie doskwierał mu ból. W pewnym momencie zauważył z ironicznym półuśmieszkiem:

– Możesz to wykorzystać w swoich pogadankach na statku, jeśli chcesz.

Beck spochmurniał. Wciąż nie oswoił się z myślą o tym, że będzie opowiadał o sobie obcym.

– Na przykład: co Beck Granger radzi, żeby uniknąć ataku pytona?

– Dokładnie. A co Beck Granger radzi?

– Nie kusić losu – odparł krótko. – To sprawdza się w przypadku większości zwierząt.

Większości, bo sam był świadkiem kilku wyjątków od tej reguły. Chociaż, gdy coś szło nie tak, to zazwyczaj winni byli przedstawiciele gatunku *homo sapiens*. Zwierzęta atakują ze strachu albo z głodu; ludzie – z byle powodu.

ROZDZIAŁ 6

Steven i Beck wysiedli z taksówki koło zakrzywiającego się potężnego dziobu. Wyciągnęli szyje, przyglądając się górującemu nad nimi statkowi.

„Morski Obłok" – Beck odczytał napis pod relingiem.

Nad ich głowami wisiała para kotwic, które wyglądały tak, jakby mogły w każdej chwili runąć na ziemię. Zarzucili torby na ramię i ruszyli nabrzeżem w stronę trapu.

Statek był gładki i lśniący. Burty były świeżo odmalowane na biało, by odbijały promienie słoneczne. Świetlne zmarszczki wodnych refleksów tworzyły na metalu wzór, który przypominał chłopakowi łuski pytona. W pobliżu rufy – tyłu statku – zwisała para szalup ratunkowych, ustawiona jedna za drugą. Beck przypuszczał, że po drugiej stronie znajdują się dwie kolejne. Komin był pochylony, co dawało wrażenie, że „Morski Obłok" płynie z najwyższą prędkością, choć stał w miejscu. Na usytuowanym nieco dalej z przodu smukłym maszcie zainstalowano anteny radiowe i radarowe. Przy tym wszystkim jednostka była jednak mniejsza, niż Beck się spodziewał. Widział na zdjęciach wycieczkowce, które wyglądały jak pływające miasta, z tysiącami pasażerów. Długość tego oceniał na jakieś sto metrów, w najlepszym razie. Naliczył dwa rzędy iluminatorów między wodą a głównym pokładem.

– Jaki jest duży? – zapytał.

– Dziewięćdziesiąt metrów, siedemdziesięciu pasażerów i trzydziestu członków załogi, cztery tysiące ton, prędkość maksymalna dwadzieścia węzłów – wyrecytował Steven bez zająknięcia. Widząc zdziwione spojrzenie Becka, wyjaśnił: – Mówiłem, że jest kameralny, nie? Al powiedział, że potrzebujesz chwili oddechu. Nie miałem zamiaru wystawiać cię na pokaz tysiącom gapiów.

– Hej, to mi pasuje! – odparł Beck z szerokim uśmiechem. Ulżyło mu bardzo, że nie będzie musiał co noc występować przed wielkim tłumem.

Steven przebiegł wzrokiem po statku. Nigdzie żywej duszy.

– Wygląda na to, że jesteśmy pierwsi, choć przypuszczam, że załoga jest już na miejscu...

Kiedy wspięli się na główny pokład po stromym trapie, zdziwienie Stevena jeszcze się pogłębiło.

– Tu też nikogo?

Widząc jego radosny uśmiech, Beck pomyślał, że mężczyzna czuł to samo, co on, ilekroć stawiał pierwszy krok w dziczy. To było jego naturalne środowisko. Drugi dom.

– Cóż, to na bank właściwa pora i miejsce! Chodźmy poszukać naszych kajut. Są na pokładzie C, kajuty dwanaście i czternaście. To na następnym pokładzie pod nami.

Ruszyli prosto przed siebie, aż znaleźli drzwi. Steven miał już je otworzyć, gdy jakiś głos zawołał:

– Ahoj!

Mężczyzna ubrany w lśniący czystością biały mundur kroczył po pokładzie, jakby był jego własnością. I właściwie był. Na obu ramionach miał cztery złote belki, a Beck wiedział, że ta dystynkcja oznacza stopień kapitana. Jego ruchy, cała postawa wydawały mu się dziwnie znajome. Wnet przypomniał sobie tygrysa z sumatrzańskiej dżungli i to, jak wielki czuł dla niego respekt. Nie dlatego, że zwierzę miało kły i pazury i mogło go zabić, ale dlatego, że było dumnym władcą w swoim naturalnym środowisku – dlatego, że zasługiwało na uznanie. Kapitan był pod tym względem taki sam. Wysoki i potężnie zbudowany – za młodu musiał być nieźle wysportowany, choć teraz trochę mu się przytyło – roztaczał wokół siebie aurę szacunku.

– Pan Holbrook, jak mniemam… – Musiał pochodzić z południa Stanów, bo w jego głosie słychać było to charakterystyczne śpiewne zaciąganie, które sprawia, że takie słowo jak „Holbrook" brzmi o wiele dłużej, niż powinno. Uścisnął rękę Stevena. – Benjamin Farrell, kapitan. Witam. Witam na pokładzie. – Rzucił zaciekawione spojrzenie na Becka. – Och, nie wiedziałem, że zabiera pan ze sobą syna...

– Beck to nasza główna atrakcja! – odparł Steven z dumą. – Nasz główny prelegent.

– Doprawdy? – Farrell i Beck uścisnęli sobie ręce, lecz kapitan wciąż przyglądał mu się sceptycznie. – Myślałem, że zaangażował pan jakiegoś speca od survivalu...

Beck uśmiechnął się obojętnie. Zaczął już przyzwyczajać się do tego, że ludziom rzednie mina, gdy dowiadują się, że to on jest tym specem, którego oczekiwali. Nauczył się znajdować w tym uciechę, żeby przestać się tym irytować.

– Tak. To właśnie on.

Brwi Farrella powędrowały w górę i spojrzał na Becka z większym respektem.

– To ci dopiero! Nie mogę się doczekać, aż usłyszę, co masz do powiedzenia. Wchodźcie, wchodźcie. – Pchnął drzwi i przytrzymał je dla nich.

Beck musiał przyznać, że w środku statek nie prezentował się tak elegancko jak na zewnątrz. Owszem, wnętrze było przyjemnie klimatyzowane, ale chłodne powietrze, choć dawało wytchnienie od skwaru i wilgoci, pachniało stęchlizną. To jeszcze nie tragedia, ale sam wycieczkowiec nie był taki gładki i lśniący, jak Beck sobie to wyobrażał. Hol wyłożono dywanem, który mógł być modny w latach siedemdziesiątych. Wywieszono też świąteczne ozdoby, ale na odczepnego, a zwisające z sufitu pierścienie kolorowego papieru wyglądały równie kuriozalnie jak Święty Mikołaj w centrum handlowym...

– Gdzie są wszyscy? – zagadnął Beck.

– Główna część załogi i pasażerowie dołączą do nas na Bermudach – odparł kapitan, prowadząc ich w dół schodów.

– Na Bermudach? – zdziwił się Steven. – Myślałem, że startujemy z Miami.

– Bo startujemy, ale płyniemy najpierw na Bermudy. Przykro mi, panie Holbrook, jeśli nie powiadomiono pana o tym. W każdym razie ja otrzymałem właśnie takie dyspozycje.

Zwyczajowy, pewny siebie uśmiech Stevena nieco przygasł. Beck wyczuł jego irytację.

– Powiedzmy, że panna Blake mogła wyrażać się jaśniej. – Widząc pytające spojrzenie chłopca, który pierwszy raz słyszał to nazwisko, Steven wyjaśnił: – Nasza szefowa, Abby Blake. To jej firma wyczarterowała rejs. Mówiła mi, że płynie z nami. Dla niej to nowe przedsięwzięcie, więc chciała się upewnić, że wszystko pójdzie gładko.

– Tak, jest na pokładzie; zjawiła się kilka godzin temu – wtrącił kapitan. – Zabrała ze sobą syna. Miły dzieciak… trochę cichy. Nieco starszy od ciebie, Beck, ale może się zakolegujecie.

Beck miał inne pytanie:

– Jak może pan kierować statkiem bez załogi?

Farrell roześmiał się.

– W czasie rejsu większość załogi zajmuje się podawaniem koktajli, koreczków i dopieszczaniem gości. Do obsługi silników i samego statku wystarczy sześć osób. Plus ja. I tyle nas teraz jest.

Szli korytarzem z szeregiem drzwi po bokach. Na podłodze leżał ten sam obskurny dywan, miejscami wystrzępiony i powycierany. Beck domyślał się, że ten pokład był przeznaczony wyłącznie dla załogi – bo jeśli pasażerowie by tu schodzili, na pewno odszykowano by go z większą klasą. Farrell zatrzymał się przed drzwiami z mosiężnym numerem „12".

– No i jesteśmy. Macie kajuty obok siebie. Rozgośćcie się, a jeśli będziecie czegoś potrzebować, zapraszam na mostek. Zobaczycie, jak kierujemy statkiem. Wypływamy o szesnastej, czyli – spojrzał na zegarek – za dwie godziny. – Odwrócił się, żeby odejść.

– A właśnie, jeszcze jedno, kapitanie… – rzucił Steven takim tonem, że Beck od razu wiedział, iż zanosi się na jakąś złą wiadomość. Mężczyzna przygryzł wargę i jakby ważąc myśli, spoglądał na pozostałą dwójkę; w końcu odwrócił się, położył dłonie na ramionach Becka i zapytał: – Beck, jesteś choć trochę przesądny?

Wiele razy zdarzało się, że Beck lądował sam na odludziu, i zawierzał swój los sile wyższej, bo wiedział, że nie ma szans w pojedynkę. Niektórzy mogliby nazwać to wiarą w przesądy. Beck tego tak nie nazywał, bo się sprawdzało. Wciąż żył.

Zastanawiał się jednak, czy o to właśnie Stevenowi chodzi.

– A co?

– No, a co wiesz o Trójkącie Bermudzkim?

Beck przypuszczał, że wie o nim tyle, co każdy. Bermudy leżały jakieś tysiąc kilometrów na północny wschód od Florydy, drugie tysiąc dzieliło je od Portoryko. Trójkąt Bermudzki obejmował obszar między tymi trzema miejscami. Była to strefa, w której okręty i samoloty ponoć znikały w niewyjaśnionych okolicznościach.

Słyszał wiele wyjaśnień: a to kosmici, a to anomalie grawitacyjne, czarne dziury czy Atlantyda. Beck nie wiedział, co myśleć o tych zaginięciach. Był jednak całkiem pewien, że nie stała za nimi żadna z tych rzeczy.

– Słyszałem co nieco – odparł z rezerwą.

Steven zrobił poważną minę i nachylił się. Zniżył głos, jakby zdradzał jakiś wielki sekret:

– Cóż, powinienem cię ostrzec, że płyniemy w sam jego środek.

ROZDZIAŁ 7

Przez chwilę wszyscy milczeli.

– Ha, ha – w końcu odezwał się Beck, dosadnie akcentując słowa.

Podpuchę wyczuwał z daleka. Steven wybuchnął śmiechem. Poważny nastrój, który starał się stworzyć, pękł jak bańka mydlana. Kapitan poklepał chłopca po ramieniu.

– Łebski chłopak z ciebie, Beck. Głupi nie jesteś. – Łypnął na Stevena z ukosa, dając mu do zrozumienia, że żart nie był tak śmieszny, jak Anglikowi mogło się wydawać.

Beck nie miał pojęcia, co myśleć o tym, że Steven próbował nabrać go na legendy o Trójkącie Bermudzkim. Na usta cisnęło mu się jednak ważniejsze pytanie – pytanie dotyczące morza – na które chciał poznać odpowiedź.

– Tak się zastanawiałem, czy nie mamy teraz pory huraganów? Czy to najlepszy czas, żeby wypływać na Atlantyk?

Farrell spojrzał na niego z uznaniem. Widać było, że spodobało mu się to pytanie.

– Synu, dobrze wiem, czym grozi sztorm. Ostatni statek straciłem przez tajfun, więc nie ma szans, żebym narażał bezpieczeństwo „Morskiego Obłoku". W żadnym wypadku. – Jego głos nagle spoważniał, i tym razem to nie była podpucha. Przez chwilę wyglądał tak, jakby mówił o zmarłym członku najbliższej rodziny. Strata statku musiała być dla niego dotkliwym ciosem. – Ale zapewniam cię, że mamy na pokładzie najnowocześniejsze systemy śledzenia pogody. Huragany mają to do siebie, że widać, jak nadciągają, więc możemy zejść im z drogi. Czasem nawet zmienia się plan rejsu, by wziąć poprawkę na sztormy.

Zamilkł na kilka chwil, wyraźnie oddając się myślom o utraconym statku. Beck i Steven nie mieli za bardzo pojęcia, co powiedzieć. W końcu kapitan z wyraźnym wysiłkiem otrząsnął się z zamyślenia i obdarzył ich profesjonalnym uśmiechem.

– Muszę już iść na mostek, a wy rozgośćcie się w kajutach – powiedział na odchodne.

Po wyjściu Farrella Steven rozejrzał się po pomieszczeniu.

– Nie ma minibarku. – Otworzył szafkę pod koją. – Ani prasowalnicy do spodni – dodał z lekkim drżeniem w głosie. Zabrzmiało to tak, jakby spotkała go niemal największa tragedia w dziejach. – Normalnie nędza.

Beck omiótł wzrokiem kajutę, co nie zajęło mu długo. Koja, krzesło, składany stolik, mała łazienka z prysznicem w rogu. Gdyby rozłożyć ręce na boki, koniuszkami palców można by niemal dotknąć ścian. Obecny widok też trudno było uznać za porywający – kajuta usytuowana była na sterburcie, czyli po prawej stronie statku, więc iluminator wychodził na port. Beck domyślał się, że kabina różni się od tych, które przydzielano pasażerom pierwszej klasy. Zaczynał też chyba rozumieć sposób myślenia Stevena. On naprawdę nie miał najlepszego zdania o ich zakwaterowaniu, ale starał się tego nie okazywać – zgrywał się, jakby warunki były gorsze niż faktycznie.

– No nie wiem – ocenił. – Raz spałem w gnieździe orangutana. Tu jest całkiem przytulnie.

Steven się zaśmiał.

– Dobra, dobra. Słuchaj, muszę znaleźć Abby i zorientować się co nowego. Poradzisz sobie? – Gdy Beck nabrał powietrza, by mu odpowiedzieć, dodał: – Nie, zapomnij, że to powiedziałem. Głupie pytanie!

Beck został sam. Miał cały statek do obejrzenia, a ten był w zasadzie pusty. Pod nim znajdowały się co najmniej dwa pokłady, gdzie pasażerowie w ogóle nie zaglądali. Skrywały one wszystkie tajemnice wycieczkowca – silniki, zasilanie, elektrykę – i stanowiły faktyczne serce jednostki. Fajnie byłoby to wszystko zobaczyć.

Ruszył więc na zwiedzanie. Przy skrzyżowaniach korytarzy umieszczono niewielkie plany, które wskazywały mu drogę. Były na nich zaznaczone wszystkie schody między pokładami, dzięki czemu z łatwością znalazł te najbliższe, usytuowane po stronie rufy. Bardzo szybko drogę zagrodziły mu drzwi z napisem PRZEJŚCIE TYLKO DLA ZAŁOGI. Cóż, Beck uznał, że on też jest jej częścią... tak jakby. Więc je otworzył.

Po drugiej stronie wszystko zalatywało tandetą. W ogóle nie postarano się tego ogarnąć. Ze ścian złaziła farba, a całość oświetlały nagie żarówki. Beck minął metalowe drzwi z wiszącą nad nimi tabliczką: STOŁÓWKA DLA ZAŁOGI. Zajrzał do środka. Wyglądała jak skąpo umeblowany salon. Styropianowe pojemniki z niedojedzonymi hamburgerami na stole świadczyły o tym, że sześć osób załogi znajdowało się gdzieś na pokładzie, zapewne przygotowując statek do wypłynięcia.

Ruszył dalej. Drzwi po obu stronach korytarza były zamknięte, a nie chciał zaglądać do prywatnych pokoi. Mijał je więc i niebawem znalazł to, czego szukał – szczyt schodów prowadzących w dół na kolejny pokład i do silników. Dostępu do nich broniły ciężkie metalowe drzwi z napisem

NIEUPOWAŻNIONYM WSTĘP WZBRONIONY. Beck mógł przekonać samego siebie, że jest członkiem załogi, ale jakoś nie potrafił uznać się za osobę upoważnioną. Nikogo nie było jednak w pobliżu, więc pomyślał, że mimo wszystko spróbuje. Szarpnął za klamkę.

– Hej! Mały! Jazda stąd!

ROZDZIAŁ 8

Głos za jego plecami sprawił, że aż podskoczył. Korytarzem kroczył jakiś załogant, zupełne przeciwieństwo kapitana. Farrell był gładko ogolony i elegancki w swym białym mundurze. Ten facet miał dwudniowy zarost i nosił poplamiony kombinezon mechanika. Podszedł do Becka i stuknął ręką o tabliczkę na drzwiach.

– Nie umiesz czytać? – Mówił nieco dziwnie, z intonacją, której Beck nie potrafił rozpoznać. Najwyraźniej nauczył się angielskiego od kogoś z amerykańskim akcentem.

– Myślałem… – zaczął Beck. Chciał obrócić to w żart i dodać: „Jestem upoważniony – ja też jestem z załogi!", ale mężczyzna mu przerwał.

– Tak? To pomyśl raz jeszcze.

Mechanik otworzył drzwi, za którymi kryła się prowadząca w dół metalowa drabina. Beck chciał zagaić rozmowę, ale nie bardzo wiedział, co powiedzieć. W końcu wydusił z siebie:

– No więc, yyy, wszystko gotowe?

– Wypłyniemy, kiedy wypłyniemy. I żebym cię tu więcej nie widział. Na ten pokład nie masz wstępu. – Mężczyzna zatrzasnął za sobą drzwi.

Beck skrzywił się. Uroczy gość. No dobra, może był trochę zestresowany, bo musiał kierować statkiem przy szczątkowej załodze. I nie chciał, żeby wścibski nastolatek wchodził mu w paradę, tak jak Beck nie lubił towarzystwa zacofanych turystów w dziczy.

A więc nici z odkrywania tajemnic statku. Spojrzał za siebie. Nagle wycieczkowiec stał się o wiele mniej interesujący. Na łonie natury nigdy nie możesz mieć pewności, co czeka cię za następnym zakrętem. Tu, dzięki tym małym planom, wiedział dokładnie, czego się spodziewać. Przypomniał sobie swoją pierwszą myśl, gdy Steven opowiedział mu o rejsie – statki były czymś sztucznym, nie miały nic wspólnego z naturą.

Spojrzał ponownie na najbliższy plan. Widniały na nim nie tylko drabiny. Na głównym pokładzie, oznaczonym literą B, zainteresowały go dwa wielkie kwadraty z napisami KINO i BASEN. Warto byłoby je zbadać. Mógłby zobaczyć, czy puszczają jakieś filmy – dla załogi, nawet jeśli nie było jeszcze gości. Chętnie by też przepłynął kilka długości. Były też tam JADALNIA (zawsze dobrze wiedzieć, gdzie jej szukać) i SALA WYKŁADOWA.

Ta ostatnia przypomniała mu, czemu się tu znalazł – miał opowiadać pasażerom o sztuce przetrwania. No dobra, może w takim razie powinien zacząć się zachowywać jak porządny survivalowiec i zapoznać się z otoczeniem, żeby w przypadku zagrożenia wiedzieć co i jak. Na statku oznaczało to tyle, co „kieruj się do szalup ratunkowych".

Beck przypomniał sobie opinie, iż w katastrofie „Titanica" zginęło tak wiele osób nie tylko z powodu niedostatecznej liczby szalup, lecz głównie dlatego, że najliczniejsi pasażerowie trzeciej klasy, ulokowani na najniższych poziomach transatlantyku, błądzili, próbując dostać się na pokład łodziowy. Tutaj nie było podobnego ryzyka. Kolorowe strzałki na planach jasno wskazywały drogę na rufę, a kwadraciki – rozmieszczenie kamizelek ratunkowych. Beck postanowił przetestować ten system, celowo wybierając skomplikowaną trasę.

Al uwielbiał powtarzać, że „nie ma ochrony przed głupotą". Nieważne, jak czytelnie oznaczone były plany – w tłumie, zwłaszcza gdy ludzie są wystraszeni i bliscy paniki, zawsze znajdą się tacy, którzy się zgubią. Skręcą w lewo, gdy powinni iść w prawo, albo wrócą do kajut po coś, czego nie potrzebują. I dlatego za każdym razem, gdy plan kierował go w jedną stronę, szedł w przeciwną. Nic to nie dało. Jak by nie oceniał kondycji statku, system ewakuacji był bez zarzutu. Ilekroć skręcał w złą stronę, na następnym rogu znajdował kolejny plan wskazujący właściwą drogę. Uznał w końcu, że nawet największy tępak połapie się w tym systemie.

Odpuścił więc i udał się na pokład B. Wyszedł w połowie korytarza, który świadczył o tym, że ktoś tu miał naprawdę dziwne pojęcie na temat luksusu. Pod nogami zobaczył ten sam zapyziały dywan, jedna ze świetlówek bliżej dziobu migotała, jakby miała się zaraz przepalić, niektóre ze świetlówek w części rufowej w ogóle nie świeciły. Po obu stronach holu umieszczono szklane drzwi, przy czym jedna z szyb od sterburty była pęknięta. Jeszcze jeden przykład marnej kondycji statku. Beck przewrócił oczami i pchnął drzwi.

Uch! Zapomniał, jak wilgotno i gorąco było na zewnątrz. Beck poczuł się tak, jakby cała Floryda naraz uderzyła go w twarz. Dał nura do holu i wybrał drzwi naprzeciwko. Po tej stronie nadbudówka zapewniała przynajmniej odrobinę cienia. Kolejna zasada survivalu, o której wspomni w swojej prelekcji – staraj się pozostać w cieniu. Dzięki temu jest ci chłodniej, mniej się pocisz i nie marnujesz energii.

Kiedy dotarł już na główny pokład, łatwo było znaleźć szalupy. Pamiętał, że widział je na rufie, więc poszedł w tamtą stronę. Były zawieszone parami na ciężkich stalowych żurawikach, po dwie z każdej strony, po pięć metrów długości każda. Wytrzymałe kadłuby z włókna szklanego przykrywały brezentowe plandeki, które chroniły je przed szkodliwym wpływem warunków atmosferycznych. Po bokach zwieszały się zwoje liny, których mogli uczepić się pasażerowie unoszący się na powierzchni. Wyciągnął rękę, by dotknąć kila[3] najbliższej szalupy. Na jego palcach zostały płatki białej farby. Skrzywił się i otrzepał dłonie o spodnie.

Układ sterowania żurawikami zamknięty był w skrzynce przyspawanej do pokładowego relingu z osłonką z przezroczystego plastiku. Sterowanie nimi należało do zadań członków załogi, lecz Beck przestawił się już na tryb survivalowy, więc uznał, że powinien nauczyć się robić to własnoręcznie. Mrużąc oczy, spojrzał przez plastik i odkrył, że sterowanie opatrzono zrozumiałymi schematami. Szybko odnalazł sekwencję, która pozwalała wysunąć żurawiki za burtę, opuścić szalupę najpierw na wysokość pokładu, by ludzie mogli do niej wsiąść, a później na wodę.

Postanowił na tym poprzestać – nie mógł przecież zwodować łodzi tylko dlatego, że mu się nudziło. Choć myśl była kusząca…

---

[3] Element kadłuba w kształcie płetwy, który znajduje się pod wodą i zapobiega kołysaniu się jednostki pływającej na boki.

ROZDZIAŁ 9

Beck powędrował dalej, aż na samą rufę, i wychylił się przez reling. Kiedy statek ruszy, woda tam w dole będzie się pieniła i kotłowała, teraz jednak była spokojna i gładka. Zawrócił i zauważył schody prowadzące na najwyższy poziom – odsłonięty pokład słoneczny, na którym pasażerowie mogli się położyć i poopalać. Miał już wejść na górę, gdy przez jego myśli przebił się znajomy głos. Podniesiony i poirytowany.

Beck wychylił się za krawędź nadbudówki i spojrzał na burtę. Steven dyskutował gorączkowo z innym załogantem, na oko starszym stopniem od mechanika, którego spotkał. Mężczyzna ubrany był podobnie jak kapitan Farrell, ale miał tylko jedną złotą belkę.

– No ale skoro odpowiadam za rozrywkę, muszę się zorientować, jakim dysponujemy zapleczem! – perorował Steven. – Nagłośnienie... wystrój... To śmieszne, że wszystkie pomieszczenia są pozamykane!

– A ja panu powtarzam, że takie dostaliśmy polecenie. Mamy otworzyć wszystko, dopiero gdy wsiądą pasażerowie. – Ten facet miał wyraźnie nowojorski akcent. – Nie wcześniej.

– Ale... – Steven wymachiwał bezradnie rękami.

Beck trafił na rozmowę, która wyraźnie kręciła się w kółko.

– Jeśli chce się pan kłócić, proszę zwrócić się z tym do panny Blake. – Mężczyzna dotknął czapki w szyderczym salucie i zniknął wewnątrz statku.

Po chwili wściekły Steven zauważył przyczajonego Becka.

– Dasz wiarę? – rzucił ze złością. – Nie pozwalają mi robić tego, co do mnie należy! Muszę się zorientować... – Zamilkł i przywołał na twarz zwyczajowy półuśmieszek. – Wiem, wiem, już to słyszałeś, prawda? Ale po prostu nie wierzę! Co się tu wyrabia? Zapytałbym Abby, gdyby raczyła odebrać cholerny telefon… Nie widziałeś jej, co?

– Niestety nie. Może jest na górnym pokładzie. – Beck zadarł głowę, wskazując schody. – Miałem tam właśnie wchodzić.

– O, tam nie patrzyłem. – Steven zmrużył oczy. – Pewnie dlatego, że na jej miejscu nie wylegiwałbym się na słońcu, tylko szykował łajbę… Chodź, zobaczymy… A na razie jak ci się podoba nasz „Titanic" – znaczy „Morski Obłok"?

– Nie tego się spodziewałem – Beck przyznał otwarcie.

Steven uniósł brew.

– Nie?

Gdy wspinali się po schodach, Beck streścił mu pokrótce swoje pierwsze wrażenia. Z tego, jak Steven potakiwał w milczeniu i czasem mruczał „aha", wywnioskował, że jest podobnego zdania.

Dotarli na pokład słoneczny i – jakże by inaczej – znaleźli tam Abby Blake. Przynajmniej Beck zakładał, że to była ona. Nie potrafił sobie wyobrazić, by którykolwiek z poznanych dotychczas członków załogi wygrzewał się na leżaku, czytając ilustrowany magazyn – w bikini, okularach przeciwsłonecznych i kapeluszu z rondem tak szerokim, że przesłaniało większą część twarzy. Obok siedział nastoletni chłopiec wpatrzony w ekran konsoli do gier. Był szczupły, miał blond włosy, a na sobie podkoszulek i jaskrawe bermudy. Spojrzał znad ekranu na Becka i Stevena, posyłając im nieśmiały uśmiech. Szturchnął kobietę ramieniem.

– Hej, mamo.

Kobieta opuściła magazyn. Pod przyciemnionymi szkłami odmalował się szeroki uśmiech.

– Steven, kochanieńki! Jak dobrze znowu cię widzieć. A ty musisz być tym sławnym Beckiem Grangerem. Tak się cieszę!

– Abby, to jakiś absurd – Steven z miejsca przeszedł do listy zażaleń. – Nie chcą mi pozwolić…

– Steven, kochanieńki, wiem, wszystko słyszałam. Masz bardzo donośny głos, gdy jesteś wściekły. – Abby sprezentowała mu kolejny promienny uśmiech, po czym odłożyła magazyn i wstała. – Nie ma się co gorączkować, naprawdę. Kazałam załodze pozamykać wszystko, żebyśmy mogli to jeszcze trochę posprzątać i udekorować. Beck, słyszałam, co mówiłeś o warunkach na statku, i w pełni się z tobą zgadzam. Trzeba go trochę odświeżyć. Wierz mi, Steven, mamy kilka dni, zanim dopłyniemy na Bermudy. Zdążymy wszystko przygotować po drodze. A tymczasem musisz uzbroić się w cierpliwość.

Steven wyglądał tak, jakby nadal się pieklił, ale robił to teraz w milczeniu.

– A jak chcecie posprzątać i udekorować statek, skoro trzymacie wszystko pod kluczem? – zapytał Beck.

Abby roześmiała się.

– Ach, tyle pytań! James, skarbie, wstań i przywitaj się z Beckiem.

Chłopiec oderwał wzrok od gry, przewrócił oczami i wstał, żeby podać Beckowi rękę. Był trochę od niego wyższy, trochę szerszy w ramionach, na oko o rok starszy.

– Cześć, Beck. – Miał udręczony uśmiech nastolatka, który musi wytrzymać z matką.

– Cześć. – Beck wskazał na grę. Coś mu mówiło, że to dobry sposób, by znaleźć wspólny język. – W co grasz?

James już otwierał usta, żeby odpowiedzieć, ale ubiegła go matka:

– Oj tam, to tylko jakaś głupia gierka. Beck, słońce, nie zgadniesz, o czym właśnie czytałam.

Wyciągnęła w jego stronę magazyn, a on posłusznie sięgnął po niego, nieco zdziwiony.

– Och… – jęknął w duchu i na głos też, kiedy jego wzrok padł na okładkę.

ROZDZIAŁ 10

– No więc, eee, kiedy zrobili ci to zdjęcie? – James zapytał Becka.

Siedzieli na dziobie, obserwując, jak „Morski Obłok" tnie spienioną wodę. Miami zostało pół godziny za nimi, a oni płynęli w kierunku Bermudów.

Okładka magazynu Abby przedstawiała Becka stojącego na lodowcu w ocieplanym stroju arktycznym. Nagłówek głosił: NASTOLETNI POSZUKIWACZ PRZYGÓD!

– W londyńskim studio – przyznał się Beck. – Stoję na sztucznym śniegu, a ten lodowiec to po prostu duże zdjęcie w tle.

Była to sesja zdjęciowa dla producenta odzieży, za którą na jego stale rosnące konto wpłynęła niemała sumka.

– No tak. – James zaśmiał się. – Mama jest twoją wielką fanką.

– Serio?

– Dużo czytała o twoich przygodach... Muszę przyznać, że brzmią całkiem czadowo.

Beck stęknął. Jego *przygodach*? Połowy z nich nawet nie planował, a pokazały mu one najgorsze oblicze człowieka. Niektórzy z napotkanych przez niego ludzi byli przemytnikami lub przestępcami, którzy za nic mieli los bliźnich albo Ziemi, o ile tylko mogli się wzbogacić. Ostatnio, w Australii, zdradził go ktoś, komu ufał, i był świadkiem zabójstwa starego przyjaciela. Czy to brzmiało czadowo?

I o wiele za często maczała w tym palce korporacja Lumos. Wcale nie chciał wchodzić jej w drogę, ale ona sama się o to prosiła. Korumpowała ludzi, niszczyła środowisko, wszystko dla pieniędzy. To wcale nie było czadowe.

Beck zastanawiał się, jak zmienić temat, ale James go wyręczył:

– Hej! To morświny!

Beck spojrzał na wodę. Rzeczywiście, pięć czy sześć małych waleni mknęło zwinnie przez fale, idealnie dopasowując się do prędkości i kursu statku. Mogło się wydawać, że prawie w ogóle nie poruszają ogonami ani płetwami. Co jakiś czas jeden z nich wynurzał się z odmętów, by zaraz znów zniknąć pod powierzchnią niemal bez plusku.

– Po prostu niesamowite, jak one to robią – zachwycił się. – Wyglądają, jakby prawie się nie ruszały.

– Wiesz, że płyną w fali uderzeniowej? – odparł James. – Statek porusza się w wodzie i tworzy przed sobą falę uderzeniową. Ona zwyczajnie popycha morświny do przodu.

– Fajnie. – Beck uśmiechnął się i pomyślał o Peterze, z którym przeżył niektóre ze swoich przygód. – Mam w szkole kolegę, z którym na pewno byś się dogadał. Potrafi naukowo wyjaśnić każde zjawisko.

– Większość rzeczy da się zazwyczaj naukowo wyjaśnić.

– I tak też sobie na ogół powtarzam. Steven próbował nastraszyć mnie Trójkątem Bermudzkim.

– Ha, to już na pewno da się wyjaśnić! – James zaśmiał się i postukał prawą dłonią o metalowy reling. – Kojarzysz tę słynną historię lotu numer dziewiętnaście[4]? Jeśli się dobrze przyjrzeć szczegółom, to pogoda była kiepska, a kompasy przestały działać, więc członkowie załogi mogli się pomylić i lecieć kursem odwrotnym, czyli w przeciwnym kierunku, niż chcieli. Oddalali się od lądu, zamiast się do niego zbliżać, potem skończyło im się paliwo i rozbili się gdzieś na Atlantyku. Ot i cała tajemnica.

Beck dobrze wiedział, czym jest kurs odwrotny. Sam leciał tak raz czy dwa. Skoro kompas wskazywał północ, to igła wskazywała też południe, i łatwo się było pomylić. Przerażające, że mogło się to przytrafić nawet wyszkolonym pilotom.

---

[4] Chodzi o pięć amerykańskich samolotów torpedowo-bombowych, które zaginęły 5 grudnia 1945 roku podczas lotu szkoleniowego w rejonie Bermudów.

– A co z zaginionymi statkami? – zapytał. – No bo przecież jeśli skończy im się paliwo, to czy nie powinny po prostu dryfować…

– O, tu robi się jeszcze ciekawiej. – James uśmiechnął się i znów zaczął stukać w reling. – W dnie oceanu w tym rejonie znajdują się złoża czegoś, co nazywa się hydratem metanu. To wyjątkowo wydajne paliwo kopalne. Słyszałeś o nim? – Beck pokręcił głową. – Czasem wybucha, a na powierzchnię ulatują olbrzymie bąble. Ale to jeszcze nic, hydrat metanu zmniejsza gęstość wody. Statki unoszą się na niej tylko dlatego, że ma określoną gęstość. Jeśli ta gęstość nagle zmaleje, statek staje się po prostu wielką kupą metalu próbującą unosić się na niczym. No i idzie na dno jak kamień. Idę o zakład, że to jest przyczyna większości zaginięć.

– Straszne – powiedział Beck, mimowolnie spoglądając na rękę Jamesa. Ten monotonny stukot go rozpraszał. Doszedł do wniosku, że powoduje go srebrna obrączka noszona przez chłopaka na środkowym palcu prawej dłoni. Dziwna biżuteria jak na nastolatka.

– Fajny pierścień – zauważył.

James wyraźnie się wzdrygnął, jakby Beck przyłapał go na czymś, czego nie powinien robić, i zwinął dłoń w pięść, żeby go ukryć.

– Yyy, no... To rodzinna pamiątka. A ty co masz na szyi? To też pamiątka? – Wskazał na łańcuszek, który wystawał spod kołnierzyka koszulki Becka.

– Jeszcze nie. – Beck zaśmiał się. – Może kiedyś. – Wyciągnął łańcuszek i pokazał Jamesowi, co na nim wisiało: blaszka i pręcik.

Oczy Jamesa zaświeciły się.

– To krzesiwo, nie? Czytałem o tym w którymś z artykułów, które pokazała mi mama!

– Zgadza się.

Stalowa cienka blaszka w kształcie kwadratu i pręcik ze stopu żelazowo-cerowego stanowiły jedne z najstarszych rzeczy należących do Becka. Potarcie ich krzesało deszcz iskier, które mogły rozpalić ogień właściwie wszędzie, tylko nie pod wodą. Zawsze miał je przy sobie.

Zademonstrował zasadę działania, a potem pozwolił Jamesowi samemu spróbować. Iskry strzelały i rozwiewały się w morskiej bryzie.

– Widzisz? – powiedział roześmiany James, zwracając krzesiwo Beckowi. – To też nauka. Wszystko zaczyna mieć sens, gdy zadaje się właściwe pytania.

„Tak – pomyślał Beck, chowając łańcuszek pod koszulkę – James w mig zaprzyjaźniłby się z Peterem". Spojrzał na zegarek.

– No, to mam jedno pytanie. Kiedy podają obiad?

ROZDZIAŁ 11

Przestronna jadalnia świeciła pustkami. Stały w niej stoliki dla pasażerów, którzy niebawem mieli wejść na pokład, a w jednym rogu upchnięto nieprzystrojoną choinkę, jednak w tej chwili znajdowali się w niej tylko kapitan Farrell, Beck, Steven, James i Abby. Kobieta przebrała się w elegancki biało-czarny kostium ze spodniami, w którym przypominała zebrę. Beck był pewien, że nie spodobałoby się jej to porównanie, więc zachował tę myśl dla siebie. Nie było to trudne, bo panna Blake mówiła najwięcej.

– A więc wuj to twoja jedyna rodzina? Z tego, co mówisz, wygląda na fascynującego człowieka. Mam nadzieję, że będę miała kiedyś okazję go spotkać. Rozmawiałeś z nim od czasu przylotu do Stanów?

– Pewnie – odparł Beck. – Lubi wiedzieć, że u mnie wszystko w porządku. Zadzwoniłem do niego tuż przed wypłynięciem. – W Wielkiej Brytanii był już wtedy wieczór, a on chciał złapać Ala, zanim też położy się spać. – Ma się dobrze.

– No, co jak co, ale na pewno możesz mu powiedzieć, że jesteś w rękach *bardzo* dobrego kucharza. Wyśmienite, prawda? – Przyłożyła serwetkę do ust. Beck zauważył, że ona też miała srebrny pierścień na środkowym palcu prawej dłoni. W sumie nic w tym dziwnego, czemu matka i syn nie mieliby nosić podobnych pamiątek rodzinnych?

Steven gawędził z kapitanem i Jamesem na drugim końcu stołu. Wyglądało na to, że spróbował nabrać Jamesa na legendy o Trójkącie Bermudzkim i teraz tego żałował.

– Na morzu zawsze zdarzały się tajemnicze zaginięcia, i zawsze da się je wyjaśnić – tłumaczył chłopiec. – Słyszał pan choćby o „Mary Celeste"?

– Tym zaginionym statku? – zaciekawił się Steven.

– Statek nie zaginął, tylko załoga. Odnaleźli go, gdy dryfował na środku oceanu, zupełnie opuszczony. Żywej duszy na pokładzie. Nic jednak nie wskazywało, że mogło dojść do katastrofy. Statek nie tonął ani nic…

Kapitan siedział rozparty na krześle z ponurą miną. Beck nagle uświadomił sobie, że temat znikających statków nie mógł spodobać się komuś, kto stracił swój.

– No i co, naukowcy znaleźli przyczynę? – zapytał Farrell przez zaciśnięte usta.

– Oczywiście. – Wydawało się, że James nie zauważył irytacji mężczyzny. – Doszli do wniosku, że za wszystkim stał przewożony ładunek. Ponad tysiąc beczek spirytusu. Jedna teoria mówi, że opary z beczek mogły się zapalić, ale to nie zatopiło statku, a ponieważ wybuchły opary alkoholu, które nie płoną, nic się nie zwęgliło. Gdy odnaleziono „Mary Celeste", nie było żadnego śladu eksplozji. Podejrzewa się, że załoga opuściła statek, myśląc, że zatonie, a potem zginęła, porwana przez prąd.

– Wspaniale – rzucił kapitan. – Ale dla marynarzy, którzy zginęli, to marna pociecha.

– Dziwne, że coś może wybuchnąć bez żadnych płomieni – zauważył Steven.

– Cóż, jest wiele rodzajów wybuchów. Na przykład, jak już mówiłem Beckowi, taki hydrat metanu…

– James, skarbie? – przerwała mu Abby. – Może już dość tej nauki na dzisiaj… – Beck był ciekaw, czy ona też zauważyła, że sam Farrell zdawał się bliski eksplozji. – A pan, kapitanie, jak długo już pływa?

– Ja? – Farrell był wyraźnie wdzięczny za zmianę tematu. – Będzie ze trzydzieści lat, proszę pani. Pierwszy raz wypłynąłem, gdy miałem szesnaście. Cieszę się, że wróciłem.

– Wrócił pan? – zapytał niewinnie James. – A czemu pan odszedł?

Kapitan odwrócił się gwałtownie i spiorunował go wzrokiem, jakby zadał naprawdę bezczelne pytanie. Chłopak nagle się speszył.

– Yyy, nie chciałem być wścibski. Przepraszam...

– Musisz pamiętać, że mamy recesję, skarbie – wtrąciła się Abby. – Trudno teraz o pracę, nawet dla tak sumiennych ludzi jak nasz kapitan.

– Recesja – mruknął Farrell. – No tak.

Beck miał wrażenie, że to tylko część prawdy. Czy to miało coś wspólnego ze statkiem, który stracił? Może kapitanowi niełatwo było znaleźć zatrudnienie, gdy jego ostatni statek zatonął.

– A tak w ogóle, czy nie chciałeś kapitana o coś zapytać? – podpowiedziała Abby.

– A, no tak, eee... – James posłał Farrellowi nieśmiały uśmiech. – Myśli pan, że moglibyśmy obejrzeć mostek? Musi być naprawdę czadowy.

ROZDZIAŁ 12

I był czadowy, uznał Beck, kiedy tylko się tam znaleźli.

Pomieszczenie, wzdłuż którego ciągnął się panoramiczny iluminator, przywodziło na myśl filmy science fiction. Spowijał je mrok, który rozpraszała jedynie słaba poświata rozmaitych ekranów. Wachtę pełnili dwaj załoganci „Morskiego Obłoku", których Beck wcześniej nie widział. Odpowiedzialny za kierowanie statkiem sternik siedział w fotelu z boku mostka, trzymając w rękach coś, co przypominało kierownicę samochodu. Nawigator przesuwał jakieś przyrządy na mapie, od czasu do czasu podając namiary. Obaj spojrzeli przelotnie na przybyłych i nie mruknąwszy nawet słowa powitania, wrócili do swoich zajęć.

Abby stanęła przed iluminatorem i wpatrzyła się w roztaczającą się przed nią ciemność. Farrell poprowadził Jamesa do pulpitu sterowniczego. Beck podszedł do szeregu monitorów, próbując odgadnąć, do czego służą. Jeden rozpoznał od razu – radar. Kreska światła zataczała promień na ekranie, a pojawiające się za nią plamki i kształty oznaczały jednostki w oddali. Były też tam większe kleksy – Beck domyślał się, że to wyspy. Bardzo duża, jaskrawa smuga, która zajmowała w całości jedną część ekranu, musiała oznaczać Florydę, wiele mil na zachód za nimi.

Beck oderwał wzrok od ekranu i zerknął na przedni iluminator, chcąc dopasować wskazania radaru do tego, co widział na własne oczy. Ponieważ mrok był nieprzenikniony, spojrzał wstecz. Na horyzoncie skrzyły się radosne światełka. Zostawili Bahamy za sobą, a to oznaczało, że wypływali na Morze Sargassowe.

Na drugim monitorze dostrzegł sunącą powoli postrzępioną linię. Dopiero po chwili domyślił się, że obrazowała ukształtowanie dna. Zauważył, że mieli pod sobą trzy tysiące metrów.

Inne urządzenie przypominało nieco radar, choć różniło się od tego na głównym ekranie. Pokazywało wielkie, rozżarzone, wielobarwne kleksy o nieokreślonym kształcie. Zmieniały się i pulsowały jak balon nadmuchiwany przed kogoś, kto nie miał za wiele sił w płucach.

– Radar meteorologiczny – wyjaśnił Steven, stając koło Becka. – Wyłapuje chmury i opady i synchronizuje je z komunikatami meteorologicznymi. Spójrz na tego koleżkę... – Postukał w monitor w prawym dolnym rogu. Radar wykrył jakąś ciemną masę. Wyglądała złowrogo, a wokół niej roiło się od małych czerwonych znaków ostrzegawczych.

– Co to?

– Jakaś paskudna pogoda, o ile się nie mylę. Te czerwone znaczki to ostrzeżenie przed możliwym huraganem, ale ta szkarada jest od nas daleko i jest wolniejsza. Na moje oko to ostry sztorm, który minie nas bokiem.

Beck spojrzał wielkimi oczami na ekran, a Steven zachichotał. Wskazał na podziałkę, z której można było odczytać, jak daleko byli od sztormu. Wciąż kilkaset mil, co Beck przyjął z radością. Przypomniał sobie, co mówił Farrell o pokładowych systemach śledzenia pogody. Jeśli widać było układ niskiego ciśnienia, to można go było ominąć. To go uspokoiło.

Steven odwrócił wzrok, spoglądając na Abby, która zaczęła przechadzać się po mostku w tę i z powrotem.

– I tak przydałoby się tu odmalować, ale muszę przyznać, że wszystkie systemy działają bez zarzutu! – pochwalił.

Stanęła z gracją, kładąc jedną rękę płasko na pulpicie. Postukała w roztargnieniu palcami, zupełnie jak James, i posłała Stevenowi jeden ze swoich rozbrajających uśmiechów. *Stuk.*

– No… – *Stuk.* – Oczywiście… – *Stuk.*

I w tym momencie wszystkie monitory zgasły.

ROZDZIAŁ 13

– Co jest, do…? – zawołał Farrell.

Beck mrugnął. Pod powiekami wciąż majaczył mu blask monitorów. Musiał poczekać, aż się zatrze, zanim będzie w stanie cokolwiek zobaczyć w przygaszonym czerwonym świetle na mostku.

Kapitan ganiał od pulpitu do pulpitu, coraz bardziej nerwowo wciskając przyciski. W końcu sprzedał jednemu porządnego kopa, ale nic to nie dało. Warknął do sternika:

– Zasilanie? Silniki?

– Wszystko w normie, kapitanie.

To go wyraźnie uspokoiło.

– Dobra, mamy zasilanie. Straciliśmy tylko przyrządy. Spróbuj wywołać straż przybrzeżną w Miami.

Pauza, a po chwili:

– Nic z tego, kapitanie. Radio też padło.

– Że co? Nie dość, że przyrządy, to jeszcze łączność? Nie wierzę. Cała elektronika nie mogła sobie ot tak wysiąść.

Jeden z załogantów grzecznie odsunął Abby od pulpitu, przy którym stała, i pochylił się nad klawiaturą, gorączkowo stukając w klawisze.

– To chyba komputer pokładowy. Wygląda na to, że siadł na całej linii.

– I szlag wziął wszystkie podłączone do niego systemy – dopowiedział kapitan. – Radio, radar, nawigację. Po prostu bomba! – Farrell podbiegł do okna i wyjrzał w mrok. – Dobra. Cała stop.

Sternik pchnął malutki drążek na pulpicie przed sobą. Beck zdążył już przywyknąć do wibracji silników pod stopami i przestał je zauważać, ale teraz, gdy zmieniły się ich obroty, znowu je poczuł. Spojrzał w boczne okna. Kilwater[5],

---

[5] Inaczej: ślad torowy. Spieniona przypowierzchniowa warstwa wody, która została zaburzona przez ruch jednostki pływającej.

jeszcze przed chwilą pieniący się biało na tle ciemnej wody, teraz zanikał. Po niecałej minucie „Morski Obłok" znieruchomiał, unosząc się samotnie pośrodku oceanu.

James sprzedał Beckowi kuksańca i puścił oko.

– To sprawka Trójkąta Bermudzkiego! – szepnął głośno, a Beck zdobył się na blady uśmiech. Trochę niefajnie było znaleźć się na statku, na którym cała elektronika właśnie wysiadła, ale raczej nie tonęli. Jak powiedział wcześniej Jamesowi, gdy statek traci napęd, po prostu dryfuje, co nie?

– Chłopcy – odezwał się Steven. Uśmiechał się dobrodusznie, jak zwykle, ale kiedy na niego spojrzeli, przyłożył palec do ust. – Ciii. – Sygnał był jasny: nie przeszkadzajcie kapitanowi, bo i bez tego ma sporo na głowie.

Farrell usłyszał już jednak słowa Jamesa i nagle przypomniał sobie, że ma gości.

– Tak, bardzo zabawne – rzucił. Beck wychwycił w jego tonie pewien chłód. Jak każdy kapitan chlubił się swoim statkiem. Nie chciał słyszeć o żadnych komplikacjach nawet w najbardziej sprzyjających okolicznościach. A już na pewno nie chciał, żeby usłyszała o nich szefowa. – Proszę pani, muszę prosić was wszystkich, żebyście wyszli. Mnie i moich chłopaków czeka długa noc. Musimy znaleźć usterkę i ją naprawić.

– Naprawdę musi pan zatrzymać silniki? Nie chcemy mieć opóźnień – zaniepokoiła się Abby.

Farrell spojrzał na nią wilkiem.

– Z całym szacunkiem, proszę pani, ale musielibyśmy mieć pełną wachtę, żeby płynąć po ciemku; wystawić obserwatorów na dziobie, na rufie i na maszcie. Nie mamy dość ludzi na pokładzie. Proszę się nie martwić, naprawimy to. W najgorszym razie wrócimy rano do portu i ściągniemy fachowca, ale wątpię, żeby do tego doszło. No więc, czy wszyscy mogliby opuścić mostek? W tej chwili.

Steven uśmiechnął się promiennie, pokazał kciukiem drzwi i pogonił Becka i Jamesa do wyjścia.

– Chodźcie, chłopcy. Słyszeliście, co powiedział kapitan.

* * *

Beck ocknął się nagle, ale nie wiedział dlaczego. Zdziwił się, że w ogóle był w stanie zasnąć. W kajucie było ciemno, jeśli nie liczyć nikłej poświaty księżyca wpadającej przez bulaj. Leżał w koi i próbował pozbierać zamglone myśli.

Na łonie natury często budził się, gdy zachodziła jakaś zmiana – w pobliżu pojawiło się zwierzę albo nadciągała burza. Jakiś drobny sygnał przenikał do jego podświadomości, ostrzegając go, że dzieje się coś, co wymaga jego uwagi. Teraz miał to samo uczucie, mimo że nie był w dziczy, lecz na pokładzie dryfującego po Atlantyku małego wycieczkowca. Ale o co mogło chodzić? Wsłuchał się w otoczenie.

W końcu wyłowił ledwie słyszalny odgłos... silników! Tak, silniki znów chodziły! To musiało oznaczać, że załoga uporała się z naprawą elektroniki. Może to właśnie słyszał. Zamknął oczy.

I zaraz znów je otworzył. Nie da rady zasnąć, nie ma sensu próbować. Intuicja wciąż podpowiadała mu, że coś tu nie gra. Miał nadzieję, że to nic takiego. Albo instynkt go zawodził, nieprzyzwyczajony do nowego środowiska. Albo ogłupiało go nagłe poczucie bezpieczeństwa. Na wszelki wypadek postanowił to sprawdzić.

ROZDZIAŁ 14

Wygrzebał się z łóżka, opuszczając nogi na podłogę. Koszulka, którą miał na sobie, była wystarczająco ciepła, żeby przejść się w niej nocą po statku. Wciągnął dżinsy i odszukał buty. Odruchowo założył zegarek i zabrał krzesiwo. Zaraz jednak się zreflektował. Przecież na statku mu się nie przyda. Potrzebował go tylko po to, by urządzić demonstrację podczas prelekcji. Zostawił je więc na stoliku.

Korytarz był w pełni oświetlony, i pierwsze, co zauważył, to uchylone drzwi do kajuty Stevena. Może on też poczuł, że silniki ruszyły, i poszedł to sprawdzić.

– Halo? Steven?

Beck otworzył drzwi na oścież i zajrzał do środka. Łóżko wyglądało tak, jakby nikt w nim nie spał. Po lokatorze nie było śladu, a w tak małym pomieszczeniu nie miał gdzie się ukryć.

Beck sprawdził wieszak za drzwiami. Nie było na nim skórzanej kurtki, więc Steven na bank gdzieś wyszedł. Ale co mógł robić tak późno w nocy? Nie kładł się, żeby pomóc załodze? Beck w to wątpił. Usterka dotyczyła komputera pokładowego, a jak do tej pory mężczyzna nie dał się poznać jako spec od elektroniki.

Wpatrywał się tępo w korytarz, zastanawiając się nad tym. Nagle uświadomił sobie, że patrzy na drzwi, przez które już dzisiaj przechodził, te z napisem PRZEJŚCIE TYLKO DLA ZAŁOGI. Były uchylone. Podszedł do nich powoli i wetknął głowę do środka.

– Halo? Jest tam kto?

Światło wylewało się na korytarz ze stołówki dla załogi, zauważył też, że drzwi dalszych kajut były pootwierane.

– Halo?

W stołówce nic się nie zmieniło, zniknęły jedynie niedojedzone burgery. Podszedł do kajuty obok i lekko zapukał.

– Jest tam kto?

Pchnął drzwi. Kajuta wyglądała identycznie jak te przydzielone Beckowi i Stevenowi. Koja była pusta, pościel pomięta. W następnych dwóch kajutach było tak samo. To zaczynało robić się dziwne. Beck przystanął i znów się zamyślił.

Pięć kabin nosiło wyraźne ślady użytkowania. A na statku było pięciu członków załogi, plus kapitan Farrell, który miał zapewne osobną kajutę gdzieś indziej, więc pozostali powinni spać tutaj. Nawet jeśli niektórzy z nich pełnili wachtę, inni powinni odpoczywać przed swoją zmianą.

Gdzie się podziali w takim razie? To zaczynało przypominać „Mary Celeste". Tyle że bez wybuchu.

Część rozumu Becka przekonywała go, że sytuacja ma logicznie wytłumaczenie. Nie wiedział za wiele o statkach. Może gdyby było inaczej, to wszystko nabrałoby sensu.

Może cała załoga zajęła się rozwiązywaniem problemu – połączyła siły, żeby naprawić elektronikę w ładowni. Powinien więc wrócić do kajuty i spróbować zasnąć.

Wiedział też jednak, że nie zmruży oka, zanim się nie upewni. Musiał wiedzieć, co jest grane.

Jeśli miał kogoś znaleźć, to zapewne na mostku. Statek miał zasilanie i płynął, ktoś musiał więc nim sterować. Puścił się szybkim truchtem.

Dwie minuty później ujrzał zupełnie pusty mostek. Monitory były zgaszone – komputer pokładowy nadal nie działał. Podobnie jak radar i systemy nawigacji. Nikogo nie było w pobliżu, choć ster co jakiś czas drgał upiornie, jakby obracał się w rękach niewidzialnego sternika. Beck spojrzał na tablicę z boku, na której świecił się przełącznik z napisem AUTO. „Morski Obłok” płynął na autopilocie.

Tylko gdzie się wszyscy podziali?

ROZDZIAŁ 15

Przychodziła mu na myśl tylko jedna osoba, którą mógł o to zapytać, zakładając, że nie zniknęła wraz z resztą załogi. Kapitan Farrell. Ale gdzie mogła być jego kajuta? Podejrzewał, że gdzieś blisko mostka, żeby można było szybko go wezwać w razie potrzeby. Beck ruszył wzdłuż korytarza, oglądając drzwi na lewo i prawo, i niebawem znalazł te z napisem KAPITAN. Zapukał, najpierw lekko, potem mocniej.

Drzwi otworzyły się gwałtownie i stanął w nich Farrell. Miał na sobie znoszony podkoszulek i pogniecione spodnie dresowe – było widać, że dopiero co podniósł się z koi.

– Beck? Co się stało?

Chłopiec przez chwilę miał ochotę go uścisnąć. Jak dobrze było usłyszeć głos drugiego człowieka. Nie został na statku sam!

– Wszyscy zniknęli i na mostku nikogo nie ma – przekazał kapitanowi. I zamarł w oczekiwaniu. Jeśli dało się to wszystko sensownie wyjaśnić, jeśli był jakiś powód znany jedynie marynarzom, to najwyższy czas, żeby i on go poznał. Farrell zmyje mu głowę za to, że obudził go w środku nocy, i cała sprawa rozejdzie się po kościach.

Kapitan jednak tylko podrapał się po głowie i wykrzywił twarz ze zdziwieniem.

– Jak to nikogo nie ma na mostku? Ktoś musi tam być.

Beck jedynie pokręcił głową. Farrell złapał koszulkę i przepchnął się obok chłopca, raźno zmierzając na mostek. Zatrzymał się w drzwiach i wpatrywał przed siebie z niedowierzaniem. Potem wybuchł:

– Co oni wyprawiają, do diabła?! Płyniemy, a nikogo nie ma przy sterze?! Wiedziałem, że nie powinienem się na nich zgadzać! – Zauważył pytające spojrzenie Becka. – Byli już zatrudnieni na statku, gdy przyjąłem stanowisko kapitana, a właściciel namówił mnie, żebym ich zostawił... Partacze! Założę się, że śpią sobie smacznie w kajutach...

– Yyy, nie – Beck wyprowadził go z błędu. – Ich kajuty też są puste. Sprawdziłem.

Farrell rozdziawił usta, a potem ściągnął je w gniewną linię. Popędził do stanowiska sternika i przyjrzał się wskaźnikom przy sterze.

– Po co uruchamiać silniki, skoro systemy wciąż nie działają...? – Wytrzeszczył oczy. – Płyniemy całą naprzód! – Pchnął przepustnicę. Ani drgnęła. Spróbował ponownie, tym razem obiema rękami. Beck pospieszył mu z pomocą, ale nawet wspólnymi siłami nie zdołali poruszyć niewielkiej dźwigni.

– No dobra... – Farrell dyszał ciężko. – Ty zostań tutaj, a ja zejdę na dół i ręcznie wyłączę silniki. Nie możemy płynąć całą naprzód na ślepo. To samobójstwo. Kiedy się zatrzymamy, powinniśmy być na tyle blisko głównych szlaków żeglugowych, żeby odpalić flary i wezwać pomoc. Muszę ustalić naszą pozycję, jeśli się da...

Beck spojrzał na niebo. Odszukał Wielki Wóz – siedem gwiazd w gwiazdozbiorze Wielkiej Niedźwiedzicy przyjmujących charakterystyczny kształt wozu z dyszlem – a potem zlokalizował dwie gwiazdy na jego końcu, połączył je w wyobraźni odcinkiem, który następnie kilkakrotnie przedłużył. Wiedział, że następną gwiazdą, którą przetnie półprosta, będzie Polaris, zwany też Gwiazdą Polarną lub Gwiazdą Biegunową, z racji tego, że leży najbliżej północnego bieguna niebieskiego. Gwiazda ta niemal nie zmienia położenia w ciągu nocy, zawsze wskazując północ. W tej chwili znajdowała się po lewej stronie „Morskiego Obłoku". A skoro na bakburcie była północ...

– Płyniemy na wschód, jeśli to w czymś pomoże – powiedział Beck.

Farrell nie wyglądał na przekonanego.

– Niemożliwe. Odkąd minęliśmy Bahamy, płynęliśmy na północny wschód.

– Niech pan sam spojrzy. – Beck zakładał, że jako marynarz znał się na astronawigacji.

Mężczyzna rzucił okiem na gwiazdy.

– No tak – mruknął po chwili. – *Tak*.

Beck próbował postawić się w sytuacji kapitana. Jego załoga zniknęła, a statek zmierzał całą naprzód w zupełnie złym kierunku na sam środek Atlantyku. Widać było, że Farrell jest bliski eksplozji. Gniew mieszał się w nim z frustracją, ale też z obawą o ich bezpieczeństwo. To jego „tak" oddawało wszystko, co czuł, w jednej, wybuchowej sylabie.

Farrell odwrócił się do drzwi.

– Mimo wszystko muszę dostać się do silników. Ty znajdź szafkę awaryjną, zabierz flary…

Beck bardziej usłyszał, niż poczuł wybuch, gdy stłumione *bum* wstrząsnęło statkiem. Pół sekundy później okręt się zakołysał, jakby z czymś się zderzył albo wpłynął w potężną falę. Farrell wpadł na Becka i obaj runęli splątani na podłogę. Beck poczuł się tak, jakby wydusiło mu całe powietrze z płuc. Kapitan podniósł się powoli, potrząsając głową w oszołomieniu. Beck leżał, raz i dwa próbując zaczerpnąć oddech, aż poczuł napływający tlen.

Farrell zrobił krok w stronę chłopca, nachylając się, żeby mu pomóc, i niemal znów się przewrócił. Beck podniósł się do pozycji siedzącej. Był odchylony w bok. Gdy spróbował się wyprostować, odkrył, że dalej nie trzyma pionu.

Cały pokład był przekrzywiony. Szkielet statku zawibrował, a skądś w głębi dobiegł długi, powolny zgrzyt metalu.

Kapitan złapał Becka za rękę i podźwignął na nogi.

– Toniemy.

ROZDZIAŁ 16

Statek znów się zakołysał. Farrell przytrzymał się steru, żeby nie upaść.

– Silniki stanęły – wydyszał ciężko, spoglądając na wskaźniki. – Woda musiała się do nich dostać. – Twarz miał śmiertelnie bladą.

Beck zastanawiał się gorączkowo, co powinni zrobić. Znaleźć Abby, Jamesa i Stevena i doprowadzić ich w bezpieczne miejsce…

– Płynęliśmy całą naprzód, Beck. Woda wdzierająca się przez dziurę w kadłubie rozerwie statek od środka – myślał głośno Farrell. – To nam daje trochę czasu, ale niewiele. Jeśli maszynownia jest już zalana, jest gorzej, niż myślałem. To oznacza, że drzwi wodoszczelne się nie zaryglowały.

Beck miał już się odezwać, zastanawiając się, jak do tego doszło, kiedy po statku poniósł się kolejny przeciągły zgrzyt, a pokład przechylił się jeszcze bardziej. Serce zabiło mu mocniej.

Farrell otworzył klapkę na głównej tablicy przyrządów i walnął pięścią w czerwony guzik. Beck wzdrygnął się, gdy zabrzmiał przeraźliwy pisk alarmu.

– Na wypadek, gdyby ktoś na pokładzie miał jeszcze jakieś wątpliwości – stwierdził kapitan ponuro. – Opuszczamy statek. To da wszystkim sygnał, żeby kierowali się do szalup, gdziekolwiek się ukrywają. Otwórz tamtą szafkę, wyjmij flary.

Wskazał kciukiem za siebie na szafkę na tyłach mostka. Beck popędził do niej chwiejnie i szarpnął za drzwiczki. W środku było miejsce wyraźnie oznaczone FLARY. Ich samych jednak nie było.

Farrell usiadł tymczasem przy radiostacji i nałożył słuchawki na uszy.

– Mayday, mayday, mayday, tu… Halo? – Przekręcił pokrętło i zaczął od nowa. – Nadal nie działa! – Zakładał najwidoczniej, że skoro statek płynął, elektronika musiała być sprawna.

– Flary zniknęły – przekazał mu Beck.

Spojrzeli po sobie i Beck wiedział, że doszli do tego samego wniosku. Awaria komputera pokładowego mogła być zwyczajną usterką. Zniknięcie członków załogi mogło być związane z tym, że byli zajęci gdzie indziej. Wybuch mógł być nieszczęśliwym wypadkiem. Ale flary nie znikają same z siebie. Jeśli dodać to wszystko, trudno uwierzyć w zbieg okoliczności.

To był sabotaż. Komuś zależało na tym, żeby statek zatonął bez szans na ratunek.

– Idź do łodzi, Beck – rzekł Farrell. – Poczekaj tam, a ja spróbuję znaleźć pozostałych, o ile już nie dotarli na rufę. Kieruj się na bakburtę. Przy takim przechyle nie uda nam się spuścić tych ze sterburty.

Ich stopy zadudniły na schodach, po których zeszli na pokład główny. Piskliwy alarm nadal wwiercał się w bębenki. Włączone oświetlenie sprawiało, że na pokładzie było jasno jak w dzień, ale też zaćmiewało gwiazdy i księżyc, przez co mrok na zewnątrz wydawał się nieprzeniknioną pustką. Beck miał straszliwe uczucie, że ciemność powoli pochłania statek. Mogli co najwyżej odliczać minuty, nim pogrążą się w niej zupełnie.

Coraz trudniej było iść po pokładzie, musieli przesuwać się bokiem. Beck wyjrzał przez reling i przełknął ślinę, gdy zobaczył, jak wysoko sięgała woda. O ile wcześniej zastanawiał się, czy nie wrócić do kajuty po swoje rzeczy, widok podnoszącego się morza wybił mu ten pomysł z głowy. Przez burtę statku przelała się fala i obmyła mu stopy.

Każda komórka w ciele Becka krzyczała, by opuścił tonący statek. To nie było jego naturalne środowisko. Jego umiejętności survivalowe na nic się zdadzą, jeśli cztery tysiące ton masy postanowią zatonąć i pociągną go z sobą na dno. Mimo to nie chciał jeszcze uciekać, jeśli mógł się na coś przydać. Mógł pomóc odnaleźć pozostałych ludzi. Mógł ich uratować. Chciał też – i to bardzo – pokrzyżować szyki temu, kto był za to odpowiedzialny, kimkolwiek by nie był.

Drzwi przed nim zwisały otwarte, częściowo blokując przejście. Kiedy je obchodzili, Beck dostrzegł kątem oka coś w środku, i zatrzymał się w miejscu.

– Beck, no chodź!

– Nie! Tutaj! – zawołał i wskoczył przez drzwi, a Farrell nie miał innego wyjścia, jak za nim podążyć. Już nabierał powietrza, żeby zbesztać chłopaka, kiedy zobaczył to, co zwróciło uwagę Becka.

Steven. Leżał na podłodze na brzuchu, z rękami wyrzuconymi nad głowę. Nadal miał na sobie dżinsy i skórzaną kurtkę – nie wyglądało na to, żeby w ogóle kładł się do łóżka. Był nieprzytomny… albo martwy.

ROZDZIAŁ 17

Na czole Stevena widać było dużą ranę tłuczoną, a jego włosy były pozlepiane od świeżej krwi. Beck poczuł ją pod palcami, ciepłą i lepką. Wybadał puls na szyi i odetchnął z ulgą. Serce biło słabo i wolno, ale biło.

– Co mu się stało?

– Może przewrócił się, gdy doszło do wybuchu? – zgadywał Beck, pamiętając własną wywrotkę.

– Później go zapytamy, synu. Chodź.

Wspólnymi siłami podźwignęli mężczyznę, zarzucając jego ręce na swoje ramiona. Wyszli z powrotem na pokład. Przechył był tak stromy, że niemal zsunęli się przez reling i wpadli do wody. Powlekli się na rufę, i w końcu ujrzeli żurawiki.

Beck poczuł, że serce mu staje. Pierwsza para zwisała nad relingiem pusta... Szalupa zniknęła! Na szczęście druga łódź był na swoim miejscu. Została już opuszczona na wysokość pokładu tak, że pasażerowie mogli do niej wsiąść. I dwoje wsiadało właśnie w tej chwili. Abby i James.

Chłopiec był już w szalupie, wyciągając ręce do matki. Gdy zauważył Becka i kapitana, twarz mu poweselała.

– Hej, mamo! Spójrz! – Wyskoczył szybko z szalupy i podszedł do nich. Wybałuszył oczy, gdy zobaczył, w jakim stanie był Steven. – Co się stało?

– Myśleliśmy, że wszyscy zniknęli! – Abby pospieszyła za synem. – Obudził nas ten straszny hałas, a statek się przechylił... Po prostu zarzuciliśmy coś na siebie i ruszyliśmy do szalup. – Byli ubrani w to samo, co mieli na sobie, gdy Beck widział ich po raz ostatni. James był w koszulce i szortach, Abby w kostiumie zebry. – Tyle że wszystkie łodzie zniknęły, poza tą jedną!

– No, to pomóżcie nam załadować Stevena i odpływamy. Chłopcy, wsiadajcie – zarządził Farrell.

James i Beck stanęli w szalupie, żeby odebrać Stevena z rąk pozostałych dwojga. Statek był teraz w takim przechyle, że szalupa zwisała w pewnej odległości od pokładu. Beck musiał mocno wyciągnąć ręce, żeby dosięgnąć Stevena, chwytając go za głowę i ramiona.

Razem z Jamesem ułożyli nieprzytomnego na deskach. Oddychał chrapliwie i nierówno. Beck chciał przebadać go dokładniej i sprawdzić, jak poważna była ta rana na głowie.

– A więc nie widzieliście nikogo innego? – zapytał Farrell.

James wyciągnął rękę, żeby pomóc Abby wsiąść do szalupy.

– Nie. Wszędzie pusto.

Kapitan wspiął się po przechylonym pokładzie do urządzeń sterujących, które Beck widział wcześniej. Mechanizm dźwigu zakrztusił się i ożył, a szalupa zaczęła opuszczać się na wodę. Farrell szybko zsunął się i wskoczył do łodzi, zanim ta za bardzo się obniżyła.

Nagle światła na „Morskim Obłoku" zamigotały i zgasły, a dźwig się zatrzymał. Farrell zaklął i dodał:

– Poszło zasilanie!

Statek znów się zakołysał. Kolejny zgrzyt dobył się z wnętrza, i tym razem Beck poczuł i usłyszał coś jeszcze. Jakby potężne, podwodne erupcje, stłumione huki. Woda wokół nich spieniła się i zabulgotała. Fale sięgały teraz pokładu i podnosiły się dalej.

„Morski Obłok" tonął, a oni wciąż byli z nim połączeni.

– Beck! – zakrzyknął Farrell. – Złap za przednią linę! Widzisz tam rączkę?

Beck przesunął się na dziób. Lina przywiązana była do metalowego pierścienia, a obok niego znajdowała się czerwona plastikowa rączka.

– Widzę!

Farrell trzymał już drugą rączkę na rufie.

– To awaryjny mechanizm zwalniający! James, panno Blake, trzymajcie się! Beck, na trzy! Raz, dwa, trzy…

Pociągnęli za rączki w tym samym momencie i szalupa uwolniła się z lin. Spadła z wysokości metra i uderzyła w kipiel z pluskiem i głuchym łoskotem.

– Beck! Wiosła!

Na dziobie, rufie i pośrodku znajdowały się ławeczki. Wgramolili się obaj na środkowe siedzenie. James podał wiosło Beckowi, a ten wsadził je w dulkę, chwycił dwiema rękami, zanurzył w wodzie i pociągnął. Farrell zrobił to samo po drugiej stronie. Szalupa była cięższa niż wszystko, czym Beck dotąd wiosłował. Przez chwilę wydawało mu się, że szarpie za coś, co uwięzło w betonie. Kiedy jednak wiosła worały się w wodę, łódź zaczęła stopniowo reagować na pociągnięcia i oddalać się od statku.

Abby nagle skoczyła na nogi.

– Moja torebka! Została na pokładzie! Musimy po nią wrócić!

I wtedy Beck sobie przypomniał. Krzyknął lekko, łapiąc się za szyję. Poczuł nagą skórę. Krzesiwo. Zostawił je w kajucie! Jedyny towarzysz, który przemierzył z nim cały świat, skończy teraz na dnie oceanu.

– Już za późno, mamo! – zawołał James do Abby, która wyglądała tak, jakby była gotowa przeskoczyć na tonący statek, choć ten był już za daleko.

Beck wiedział, że James ma rację. W tej chwili najważniejsze to czym prędzej oddalić się od wraku. Nie miał wyboru – musiał wiosłować wraz z kapitanem. Odległość powoli rosła.

– No dobra – wychrypiał w końcu Farrell. – Wystarczy.

Oparli się o wiosła i spojrzeli na „Morski Obłok".

Gdy światła zgasły, noc nie wydawała się już taka nieprzenikniona. Teraz to statek był pogrążony w mroku – ciemna sylwetka na falach rozświetlanych blaskiem gwiazd i księżyca. Wysoki na pięć pięter wycieczkowiec, długi niczym ulica, przy której mieszkał Beck, był całkowicie zdany na łaskę żywiołów. Z pełnym szacunku podziwem obserwował, jak cztery tysiące ton stali przekręcały się, głośno zgrzytając i bulgocząc, aż wywróciły się zupełnie do góry nogami. Jeszcze nigdy w życiu nie czuł się tak maleńki i bezradny. „No i po torebce – pomyślał. – I po krzesiwie". Ta strata zasmuciła go bardziej niż to, że musiał ratować się ucieczką ze statku.

Woda nadal piętrzyła się wokół wywróconego kadłuba, aż „Morski Obłok" zniknął w kipieli bąbelków. Po chwili całkowicie się uspokoiła, a statek przepadł bez śladu.

ROZDZIAŁ 18

W szalupie zaległa chwilowa cisza – byli w zbyt wielkim szoku, by cokolwiek powiedzieć. Księżyc świecił na tyle jasno, że można było dostrzec rysy ocalałych. Beck rozejrzał się po twarzach.

Spodziewał się, że kapitan wykaże inicjatywę i odezwie się pierwszy, ale Farrell siedział bez ruchu, wpatrując się w noc. Miał zwieszoną szczękę i otępiały wzrok skierowany w pustkę. Stracił już jeden statek. Jakie to uczucie, gdy przydarza się to po raz drugi? I gdy wiesz, że tym razem to nie był wypadek, a sabotaż…

James obejmował kolana, kołysząc się w przód i w tył. Prawie nic nie wskazywało na to, że był o rok starszy od Becka. Jeśli już, to wydawał się od niego o wiele młodszy.

Nie wiedział, co sądzić o wyrazie twarzy Abby. Najpierw pomyślał, że jako bizneswoman oduczyła się otwarcie okazywać emocje, ale zaraz uświadomił sobie, że nie ma tam strachu ani zmartwienia. Tylko gniew. Abby Blake była po prostu wściekła.

Zauważyła, że się jej przygląda.

– No, Beck. – Słyszał napięcie w jej głosie, choć siliła się na wesołość. – Co według speca od survivalu powinniśmy teraz zrobić?

Wydawało się dziwne, że nie próbowała pocieszyć syna, ale nic mu było do tego. Musiał skupić się na swoim zadaniu i zatroszczyć się o nich wszystkich.

– Odetnij, wyrzuć, nakryj, zabezpiecz – mruknął. Abby pytająco uniosła brwi.

Beck spędził kiedyś przyjemny weekend, przemakając i ziębnąc w symulatorze katastrof morskich w Plymouth. Odetnij, wyrzuć, nakryj, zabezpiecz – cztery słowa, które instruktorzy raz po raz wbijali do głowy kursantom.

„Odetnij" oznaczało odcięcie liny łączącej szalupę ze statkiem. To już zrobili... Ledwo, ledwo.

– Musimy, yyy, wyrzucić dryfkotwę, żeby utrzymać pozycję. – Beck potarł skronie, próbując pobudzić pamięć. Musiał przyznać, że w tym temacie brakowało mu wprawy. Zwykle przebywał na lądzie. – To, yyy, coś w rodzaju małego spadochronu. Będziemy ją ciągnąć na linie za łódką, co zapobiegnie dryfowaniu...

Farrell w końcu się ocknął.

– Synu, z całym szacunkiem, wiem, co to dryfkotwa. Ma utrzymać łódź w miejscu, gdzie ekipa ratunkowa powinna ją znaleźć. Ale ponieważ zupełnie zeszliśmy z kursu, nikomu nie przyjdzie do głowy, żeby szukać nas tutaj. Musimy się ruszyć.

– No dobrze. – Pierwszy raz od dawna ktoś wytknął mu błąd i do tego miał rację. Nie można ślepo trzymać się zasad, upomniał się w duchu. Trzeba dostosować się do sytuacji. Improwizacja, adaptacja, determinacja. Ta mantra była jedną z jego zasad survivalowych. No dobrze. To co teraz?

„Nakryj" oznaczało przykrycie łodzi – rozwinięcie plandeki, żeby osłonić załogę przed żywiołami. Przy założeniu, że dryfowało się na wzburzonym morzu, smaganym lodowatymi rozbryzgami i silnym wiatrem. Tu nie było takiej potrzeby. Przynajmniej na razie.

„Zabezpiecz" oznaczało zaś odpowiednią konserwację łodzi i sprzętu.

– Musimy sprawdzić, co mamy na pokładzie – powiedział. Po nieco niepewnym początku poczuł, że to, czego nauczył się na kursie, zaczyna ożywać w głowie. – Niech wszyscy rozejrzą się i poszukają.

Leniwie przystąpili do działania. Inwentaryzacja nie zajęła im dużo czasu.

Każda szanująca się szalupa zaopatrzona była co najmniej w kamizelki ratunkowe i tabletki na chorobę morską. Beck obawiał się, że sabotażyści mogli zatroszczyć się i o te drobne szczegóły – ale nie. Kamizelki były na miejscu w luku na dziobie. James znalazł tabletki w małym pudełku, które zawierało też suchary i pękaty worek z folii aluminiowej z zapasem dwóch litrów wody. Picie ułatwiał zamontowany w nim dzióbek.

Poza tym mieli jeszcze dość dużą plandekę z brezentu, która zabezpieczała szalupę, kiedy zwisała z żurawików na „Morskim Obłoku", oraz blaszane pudełko z dwoma flarami. Wyszperała je Abby i pokazała im z taką dumą, jakby sama je tam włożyła. Znaleźli też apteczkę z plastiku, która wyglądała jak pojemnik na kanapki, lecz widniał na niej czerwony krzyż; pełno w niej było rolek bandaży, plastrów i jałowych gazików. Dzięki nim Beck mógł choć trochę połatać Stevena.

Mężczyzna wciąż leżał między środkową ławeczką a dziobem. Oddech miał chrapliwy i roztrzęsiony – nie brzmiało to zdrowo. Beck ukląkł przy jego głowie i uniósł kciukiem powiekę. W takiej sytuacji oczy nawet ledwie przytomnego człowieka będą próbowały się zamknąć. Beck nie poczuł żadnego oporu, co oznaczało, że Steven zupełnie stracił świadomość. Oko pod powieką było wywrócone niemal na drugą stronę.

Beck delikatnie obmacał mu głowę. Pod palcami czuł posklejane włosy i ogromny guz tuż pod prawym uchem. Nie czuł za to, żeby coś się ruszało. Nic nie wskazywało na pęknięcie czaszki.

Tyle dobrego. Mimo to zaczynał się martwić. Było jasne, że Steven mocno uderzył się w głowę, ale czy nie powinien już dawać jakiegoś znaku życia? Jak mocno oberwał?

– Rzucisz mi kamizelkę? – poprosił Jamesa.

Kamizelka przypominała gruby jaskrawożółty worek foliowy wkładany przez głowę i zapinany w pasie. Miała kieszenie z plastikowymi zamkami i boki z grubej plastikowej siatki, przez którą mogła odpłynąć woda. Przy każdej były ustnik i rurka służące do jej nadmuchania.

Beck dmuchał w ustnik, aż kamizelka zaczęła przypominać miękką poduszkę, a potem podłożył ją pod głowę Stevena. Następnie odwinął metr gazy opatrunkowej i opatrzył ranę, ostrożnie, ale na tyle mocno, by opaska się nie zsunęła.

I to, pomyślał ponuro, zapewne wszystko, co mógł dla niego zrobić, dopóki się nie obudzi albo nie zabiorą go do szpitala, cokolwiek nastąpi pierwsze. Może i nie było żadnych złamań, ale Beckowi nie podobał się ten obrzęk. Mógł być oznaką krwotoku wewnętrznego.

– No, a teraz – zarządził – wszyscy wezmą tabletkę na chorobę morską. I łyk wody.

– Choroba morska? – uniósł się Farrell. – Synu, od trzydziestu lat pływam po morzach i oceanach, i nie biorą mnie mdłości!

Beck spojrzał mu w oczy.

– A jeśli nawigator każe panu obrać pewien kurs, żeby ominąć skałę, której pan nawet nie widzi, posłucha go pan?

– No, tak...

– Bo zna się na nawigacji. A jeśli mechanik każe panu wyłączyć silnik, bo zaraz się przegrzeje, choć panu wydaje się zupełnie w porządku, posłucha go pan?

– Oczywiście, ale...

– Bo zna się na silnikach. A teraz spec od survivalu każe panu wziąć tabletkę.

Mierzyli się surowym wzrokiem w świetle księżyca, a potem kapitan wzruszył ramionami.

– Okej, dobra, niech będzie, wezmę tabletkę...

Beck rozdał wszystkim po pigułce.

– Na statku czułam się dobrze – stwierdziła Abby. – Czemu miałabym się teraz pochorować?

Beck już miał jej to wyjaśnić, kiedy ubiegł go James, rzeczowo przemawiając jej do rozsądku.

– To przez chorobę lokomocyjną, mamo. – Jego głos był osowiały i zmęczony. Odezwał się po raz pierwszy od zatonięcia statku. – Mózg dostaje sprzeczne sygnały. Oczy mówią nam, że się nie poruszamy, a zmysł równowagi, że tak. I dlatego mózg zarządza stan najwyższego pogotowia, każe organizmowi wyłączyć wszystkie drugorzędne procesy. Na przykład trawienie. Nie tak jak przy grypie żołądkowej, gdy jest ci niedobrze, ale dochodzisz do siebie, kiedy pozbędziesz się wirusa.

Beck przypomniał sobie słowa instruktora i uśmiechnął się, recytując je:

– Zgadza się. Po prostu ciągle jest ci niedobrze, aż myślisz, że umrzesz. A potem tak niedobrze, że *masz nadzieję*, że umrzesz. Do tego się odwadniasz. Proszę więc temu zapobiec i wziąć pigułkę.

– Muszę przyznać, że masz dar przekonywania. – Abby wzięła pigułkę. Krzywiąc się, przełknęła ją. – Ble. Ale czemu mielibyśmy tu siedzieć tak długo? Mamy to! – Położyła na udzie pudełko z flarami. – Nie ma sensu tu czekać. Możemy je odpalić i pomoc nadejdzie.

– Niby skąd? – zadrwił James. – O, patrz! Statek! I jeszcze jeden! Same statki dokoła.

Horyzont był ciemny we wszystkich kierunkach. Każdy statek wycieczkowy tonąłby w blasku świateł. Nawet łódź rybacka miałaby włączone światła pozycyjne. Żadna jednostka nie była jednak w pobliżu ani nawet daleko. Beck wiedział, że odpalenie tych rac w mrok zdałoby się na nic. Nie było ich komu zobaczyć.

– Tak, skarbie, dziękuję ci za tę jakże pomocną uwagę – odcięła się Abby. Zazwyczaj nie zwracała się do Jamesa tym tonem, zauważył Beck, ale okoliczności nie były zwyczajne. Wszyscy byli podminowani, delikatnie mówiąc.

– Powinniśmy zachować je do czasu, aż ktoś będzie mógł je zobaczyć – stwierdził Beck, popierając Jamesa.

Abby parsknęła.

– Jak chcesz, możesz sobie siedzieć w tej łodzi do końca życia, ale ja…

– Zrobi pani, jak mówi Beck! – Dopiero po chwili Beck zorientował się, że głos ten należał do Farrella. Ostry i władczy, nieznoszący sprzeciwu. Kapitan po raz pierwszy wykorzystał autorytet swojego stopnia. – Odpalenie ich teraz byłoby marnotrawstwem. Poczekamy, aż się przydadzą. Kropka.

ROZDZIAŁ 19

– No to co, będziemy tu tak siedzieć? – zagadnęła Abby. – Przynajmniej odpalmy silniki i popłyńmy w stronę lądu. – Nikt nie zareagował. – No, ruszcie się!

– Tu nie ma silników, mamo – przypomniał jej cicho James.

Beck uniósł brew i spojrzał w niebo. I tym razem znalezienie Wielkiego Wozu i Gwiazdy Polarnej zajęło mu tylko chwilę. Gdyby powiosłowali na zachód, prędzej czy później dotarliby do Ameryki.

– Czy prąd zniesie nas w stronę lądu? – zapytał kapitana.

Farrell pokręcił głową.

– Tutaj jesteśmy w Prądzie Zatokowym.

Beck dobrze wiedział, co to znaczy. Z tego, jak James jęknął, wnosił, że on też miał tego świadomość. Prąd Zatokowy, znany też jako Golfsztrom, niesie ciepłą wodę z Florydy przez cały Atlantyk aż do Europy. Beck od zawsze był mu za to wdzięczny – to dzięki niemu zimy w Wielkiej Brytanii nie były tak chłodne jak w Kanadzie. W tym momencie wolałby jednak, żeby prąd zawrócił i popłynął w stronę USA. Choćby na chwilę.

„Morski Obłok" przypłynął tu z pełną prędkością. Płynąc łodzią w przeciwnym kierunku, mogli wiosłować przez wiele dni i nie posunąć się za daleko.

– Czy ta łódź ma żagle? – zapytał Beck.

– Nie. Tylko wiosła.

– No to będziemy wiosłować, póki jest ciemno i chłodno. Rano... zobaczymy, co dalej.

Dokładnie tak Beck by postąpił, gdyby znalazł się sam na pustyni – podróżowałby nocą i spał za dnia. A to bardzo przypominało pustynię, z tą różnicą, że tamtą pokrywał piasek, a nie wypełniała słona woda. To było nieprzyjazne środowisko, woda pitna była tu trudno dostępna, a słońce, gdy wstanie, mogło ugotować mózg każdego, kto się na nie wystawi.

Uniósł plandekę i przyjrzał się jej w zamyśleniu. Mogli zrobić z niej daszek – coś, co osłoniłoby ich przed słońcem i pozwoliło im wiosłować także za dnia.

– Brzmi nieźle – Farrell zgodził się cierpko. Nie raczył zapytać, czy ktoś miał odmienne zdanie. – Zrobimy tak. Dwoje z nas będzie wiosłować, jedna osoba będzie sterować rumplem[6], a ostatnia prześpi się na dziobie. Co godzinę będziemy się zamieniać miejscami. Beck i ja zaczniemy na wiosłach, skoro już przy nich jesteśmy. James, ty będziesz sternikiem. Panno Blake, proszę spróbować się przespać.

Beck dostrzegł logikę w planie kapitana. Wiosłowanie to zawsze największy wysiłek. A w ten sposób po godzinie będzie mógł odetchnąć, albo

---

[6] Drążek służący do zmieniania położenia steru.

siedząc przy rumplu, albo śpiąc na dziobie. Po tym odpoczynku wrócą do wioseł.

– I... – zaczął, a potem spojrzał na Farrella, prosząc o pozwolenie na zabranie głosu. Kapitan skinął głową. – Co godzinę będziemy pić łyk wody. Poczynając od teraz.

Każdy po kolei upił trochę wody z namaszczeniem, a James i Abby zajęli swoje pozycje. Beck znów złapał za wiosło i spojrzał z rezygnacją na Farrella. Potem, ponieważ nie pozostało im już nic innego do dodania ani zrobienia, zaczęli wiosłować.

Szybko weszli w rytm, równocześnie ciągnąc wiosła, choć Beck podejrzewał, że kapitan dawał mu fory. Był w końcu dorosłym mężczyzną, o wiele silniejszym od Becka. Gdyby obaj wkładali w to całą siłę, strona Farrella płynęłaby szybciej niż strona Becka, a wtedy zaczęliby kręcić się w kółko.

Beck pokazał sternikowi Gwiazdę Polarną i wyjaśnił, gdzie powinna znajdować się względem łodzi, żeby płynęli na zachód. James szybko się w tym połapał, choć chwilę potrwało, zanim przyzwyczaił się do tego, że żeby skręcić łodzią w lewo, trzeba było pchnąć rumpel w prawo, i na odwrót.

Szalupa, nieco zbaczając z kursu, wpłynęła w noc.

Choć wiedział, że to tylko złudzenie, Beck miał wrażenie, że czuje za sobą ciężar Stevena. Oczywiście, ważył on tyle samo, niezależnie od tego, czy był przytomny, czy nie. Beck wolałby, żeby stęknął, zatrząsł się… dał jakikolwiek znak życia. Kiedy uważnie nadstawił uszu, słyszał jego nierówny oddech, ale plusk wioseł i odgłos fal przeważnie go zagłuszały.

To Steven nalegał, żeby zabrał się z nim w ten rejs, pomyślał Beck cierpko, mocno ciągnąc za wiosło. Chciał, żeby opowiadał turystom o survivalu. Wyglądało na to, że skończy się na demonstracji praktycznej. Ta myśl sprawiła, że nawet się lekko uśmiechnął.

Był to jednak jedyny powód do śmiechu.

ROZDZIAŁ 20

Obudził się, gdy ręka potrząsnęła go za ramię.

– Słońce wstaje, a teraz twoja kolej przy wiosłach – powiedział James.

Beck usiadł i się rozejrzał. Fale wezbrały przez noc, lecz szalupa pokonywała je gładko. Gdy wdrapywali się na grzbiet fali, Beck oceniał, że sięga wzrokiem jakiś kilometr na wschód, gdzie podnosiło się słońce. Mniej na zachód, gdzie wciąż było ciemno. Gdy zaś łódź schodziła w dolinę fali, widział przed oczami zbocze wody jedynie metr dalej. Wciąż ani śladu żadnej innej jednostki.

– Sprawdziłem też, co z twoim przyjacielem – dodał James. Oczy miał rozszerzone i zatroskane. – Wciąż bez zmian.

– Aha.

Beck ukląkł i przyłożył palce do tętnicy na szyi Stevena. Puls był słaby, niemiarowy. Nic nie wskazywało też na to, żeby przez noc mężczyzna w ogóle się poruszył. Przystawił ucho do jego ust. Chrapliwy oddech, który w nocy dało się słyszeć z drugiego końca łodzi, był ledwo uchwytny z odległości kilku centymetrów. Beck przyjrzał się rannemu. Nie ulegało wątpliwości, że stan rannego się pogorszył. Wcześniej Beck myślał, że mogło dojść do krwotoku wewnętrznego w czaszce. Teraz był tego pewien. Steven musiał czym prędzej trafić do szpitala.

W górze przeleciała mewa. Leniwie podążył za nią wzrokiem. Jego uwagę przykuły białe smugi zostawiane przez samoloty lecące do Ameryki lub w przeciwną stronę. Każdy z nich mógł wezwać pomoc, pomyślał – gdyby jakoś udało się sprawić, by zauważyły malutką łódź pięć tysięcy metrów pod nimi… Ale nic z tego.

Powoli podniósł się na nogi. Łódź się chybnęła, więc zaparł się nogami i poczuł rwanie w stawach.

Mięśnie bolały go od dwóch godzin wiosłowania zeszłej nocy, z sześćdziesięciominutową przerwą przy sterze. Słońce jeszcze wisiało nisko. Za jakąś godzinę wzejdzie na dobre. Minie kolejna i zacznie robić się naprawdę gorąco. Potrzebna im była osłona z brezentu. Musiało być coś, na czym dałoby się ją rozpiąć. Mogli podeprzeć ją wiosłami, ale jak by wtedy płynęli?

– Śniadanie, dzień pierwszy – oznajmił Farrell, wyrywając Becka z zamyślenia. – Aby to uczcić, każdy dostanie suchara i rację wody.

– I kolejną tabletkę na chorobę morską – zarządził Beck. Rozejrzał się po łodzi. Farrell, jak to zaprawiony marynarz, wyglądał dobrze. Pod jednodniowym zarostem jego twarz miała zdrową barwę. James i Abby byli jednak wyraźnie bladzi. A nawet jego żołądek, dość wytrzymały, sprawiał wrażenie lekkiego. Jakby mógł w każdej chwili postanowić, że odłącza się spod żeber i odpływa w siną dal. – Patrzcie też na horyzont – poradził. – To nieruchomy punkt, który pomoże uspokoić żołądek.

Wszyscy napili się wody. Mały łyk sprawił, że ciało Becka zapragnęło jej więcej i musiał przymusić się do tego, by oderwać usta od worka i podać go dalej. Zapasy wody szybko się kurczyły – zostało im nieco ponad litr. Beck martwił się, na ile im to wystarczy. W upale, nawet pod osłoną, będą potrzebowali jej o wiele więcej.

Przykląkł przy Stevenie i przyłożył wylot worka do jego warg. Głowa mężczyzny nieco się poruszyła i zacharczał, gdy kilka kropel wody dotknęło jego ust, lecz Beck był całkiem pewien, że spłynęły do gardła.

– Musisz mu dawać aż tyle? – zaniepokoiła się Abby.

Wszystkie spojrzenia skierowały się na nią.

– Jak może pani nawet pytać? – zdenerwował się Farrell. Wyjął to Beckowi z ust. Jak mogła? Steven był nieprzytomny, ale potrzebował wody tak samo jak pozostali.

Abby wzruszyła ramionami.

– Po prostu i tak nie mamy jej za dużo. Nikt z nas nie chciał się tu znaleźć, ale...

– Spróbuję później złapać trochę ryb – obiecał Beck, żeby zmienić temat. Żadne z nich nie zdołało w pełni przystosować się do nowych okoliczności. Wszyscy byli zestresowani i mogli powiedzieć coś, czego normalnie by nie powiedzieli. Nie było sensu się wściekać. Grupa musiała się wspierać, a nie dzielić.

Na samym czubku dzioba wylądowała mewa, głośno trzepocząc skrzydłami, i po chwili sfajdała się na pokład.

– Cudownie. Co za miła ptaszyna – rzuciła Abby tonem wskazującym jasno, że myśli dokładnie odwrotnie.

Mewa wpatrywała się w nich przez chwilę żółtymi ślepiami, po czym wrzasnęła ogłuszająco i odleciała.

Beck pokręcił głową.

– Mewy można jeść, ale tylko, jeśli nie ma innego wyboru. Są twarde i słone, a jak się pomyśli, czym same się żywią… – Nagle głośno jęknął, zastanawiając się, jak mógł być aż tak głupi. Czemu nie zorientował się, kiedy zobaczył pierwszego ptaka? – One trzymają się blisko lądu! – krzyknął. – Niech wszyscy wypatrują mew. W którą stronę lecą?

Wszyscy natychmiast zerwali się z miejsc. Przytrzymywali się burt dla równowagi i wyciągali szyje, rozglądając się w górę i naokoło.

– Tam jest jedna...

– I tam...

Ostatecznie naliczyli ich może sześć... siedem... osiem? Trudno było powiedzieć. Krążyły w kółko i poruszały się szybko.

– Mamy pierwszy brzask, więc polują na ryby – domyślił się Beck. – A to znaczy, że wyleciały z lądu. Spróbujcie zorientować się, skąd nadlatują mniej więcej.

– Stamtąd – odezwała się w końcu Abby, wskazując palcem. Pozostali przyznali jej rację.

– Potrzebny nam namiar – stwierdził Farrell. Nie mogli po prostu kierować się na punkt na horyzoncie. Na otwartej wodzie nie sposób odróżnić jednego od drugiego, a fale rzucały łodzią. Musieli ustalić stały kierunek i płynąć tym kursem.

Beck uniósł lewy nadgarstek i wycelował tarczę zegarka w słońce, patrząc wzdłuż niej.

– Przepraszam, Beck, czyżbyś miał jakieś pilne spotkanie? – zapytała Abby, wyraźnie zdezorientowana gestem Becka.

– On określa namiar, mamo – wyjaśnił jej James, zniecierpliwiony. – Celujesz wskazówką godzinową w słońce, a północ leży w połowie drogi między nią a godziną dwunastą.

Dokładnie to Beck teraz robił. Ucieszył się, że James znał już ten patent.

– Tam jest północ. – Machnął ręką zgiętą w łokciu, jakby coś siekał. – Czyli – spojrzał jeszcze raz na ptaki – musimy wiosłować na południe, południowy zachód.

ROZDZIAŁ 21

Z czasem morze stało się jeszcze bardziej niespokojne. Grzbiety fal rozbijały się teraz na małe rozbryzgi piany i opadały. Nie było to morze, na którym Beck chciał dryfować w szalupie.

Słońce zawisło wyżej i jego światło sięgało dalej na zachód. Dzień robił się coraz cieplejszy, aż w końcu Beck zrozumiał, że będzie musiał niedługo rozłożyć osłonę. Kolejna fala uniosła łódź nieco wyżej i James nagle zawołał:

– Wyspa!

Beck i kapitan wiosłowali, byli więc odwróceni do niego plecami. Beck zerknął przez ramię, gdy następna fala uniosła szalupę. Wyspa była ciemną smugą pomiędzy wodą a niebem.

Kiedy się zbliżyli, mogli się jej lepiej przyjrzeć. Nie była duża – na oko nie więcej niż kilometr długości. Była całkiem płaska – bez wzgórz ani klifów – a gdy podpłynęli bliżej, zorientowali się, że otaczał ją pas brudnego piasku. Nad nim rozciągał się niewielki las karłowatych palm i zarośli. Fale rozbijały się o brzeg z dzikim rykiem, rozpryskując się w chmury białej mgiełki i piany.

– Wokół niej są skały albo rafa – ostrzegł Farrell. – Fale same by się tak nie załamywały. Musimy znaleźć dobre podejście...

Abby siedziała przy rumplu. James wytężył wzrok na dziobie, żeby wypatrzyć dogodne miejsce, w którym mogliby przybić do brzegu. Musieli opłynąć wyspę w trzech czwartych, zanim znaleźli takie, które przypadło kapitanowi do gustu. Fale i tam się rozbijały, ale Beckowi wydawały się o wiele spokojniejsze, gładko sięgając plaży. Łódź powinna być w stanie zabrać się z przybojem i delikatnie osiąść na piasku. Ale i tak czekała ich ciężka przeprawa.

– Niech wszyscy założą kamizelki – zarządził Farrell. – Panno Blake, proszę założyć ją Stevenowi. Na wypadek, gdyby nas wywróciło.

Przez minutę czy dwie wszyscy uwijali się jak w ukropie, robiąc, co do nich należy. Tylko Abby niepotrzebnie guzdrała się przy Stevenie. Twarz miała ściągniętą, a usta zaciśnięte, starając się nie dotykać krwi, która zlepiała mu włosy. W końcu Beck puścił wiosło, żeby jej pomóc.

Farrell poczekał, aż wszyscy będą gotowi.

– James, jak tylko przybijemy do brzegu, chcę, żebyś wyskoczył i przytrzymał łódź, dobra? Wyciągnij nas na plażę, na ile dasz radę. Będziemy tuż za tobą.

– Jasne! – James skinął głową i obnażył zęby w szerokim uśmiechu. Wyglądał wręcz tak, jakby mu to sprawiało przyjemność. Beck już wcześniej nauczył się, że nawet najbardziej zatwardziali samotnicy potrafią znaleźć swoje miejsce w zespole, zwłaszcza na misjach survivalowych. Jeśli każdy robi użytek ze swoich talentów i czuje przy tym motywację i wsparcie, morale całego zespołu może być bardzo wysokie na przekór niebezpieczeństwom.

James stanął w gotowości na dziobie. Abby skierowała łódź prosto na brzeg, a Farrell i Beck wiosłowali co sił. Szalupa pomknęła do przodu, ujeżdżając falę jak zawodowy surfer. Wtem James zaczął krzyczeć i gestykulować, pokazując coś z przodu:

– Tam chyba jest skała...

Beck spojrzał przez ramię i zauważył ją w przelocie, ukrytą przez grzywacze. Nie była na tyle duża, by można ją było dostrzec z daleka – zwykła gruda wystająca z morza – ale mogła wyrządzić poważne szkody, a oni płynęli wprost na nią.

Farrell również ją zauważył, ale za późno. Otwierał już usta, chcąc krzyknąć do Abby, żeby skręciła, kiedy w nią uderzyli.

James wyleciał przez dziób, a łódź się zatrzymała gwałtownie. Usłyszeli chrzęst i odgłos pękającego włókna szklanego. Przez szczelinę długą na dobry metr wdarła się woda. Łódź zakołysała się i odwróciła bokiem do wyspy i fal przyboju. Nagle ściana wody uniosła się nad szalupą i przechyliła ją tak bardzo, że Beck wypadł z niej w ślad za Jamesem.

ROZDZIAŁ 22

Woda i bąbelki zafalowały wokół Becka. Poczuł, jak rzuca go na piasek. Wbił pięty w ziemię i usiłował się unieść. Wynurzył się nad powierzchnię, próbując zaczerpnąć powietrza. Akurat w chwili, gdy otworzył szczypiące od soli oczy, wydawało mu się, że łódź zaraz się na niego przewróci. Abby i Farrell trzymali się rozpaczliwie czego popadnie. Bezwładnym ciałem Stevena rzucało po pokładzie niczym szmacianą lalką.

Na szczęście szalupa powoli opadła na drugi bok i wyprostowała się, do połowy zalana wodą. Beck chwycił jedną z lin ratunkowych i pociągnął.

– Pomóż mi! – krzyknął przez ramię.

James podbiegł do niego, rozchlapując wodę. Może nie wszystko poszło zgodnie z planem, ale i tak musieli wyciągnąć łódź na plażę. Farrell wyskoczył, żeby im pomóc. Wytężając mięśnie, we trzech siłowali się z szalupą, która stopniowo tonęła z powodu dziury w kadłubie. Unosiła się nieco mniej z każdym nadejściem fali, ale oni wywlekali ją kawałek dalej. W końcu zakopała się w piasku i nie mogli jej ruszyć. Na szczęście fale sięgały tylko rufy, woda zaś raczej się wylewała przez szczelinę, niż przez nią wlewała.

Abby siedziała wyczekująco, najwyraźniej zakładając, że ktoś pomoże jej zejść. Zamiast tego Farrell wdrapał się na łódź i dźwignął Stevena na ręce.

– Chłopcy, podam go wam…

Podczas gdy Abby z zaciśniętymi ustami zeszła zgrabnie z pokładu o własnych siłach, James i Beck, zataczając się pod ciężarem bezwładnego ciała, przenieśli nieprzytomnego mężczyznę na plażę. Na szczęście kołnierz kamizelki ratunkowej usztywniał mu szyję. Beck ukląkł, by sprawdzić, czy bandaż nie zsunął się z głowy Stevena.

Tymczasem Farrell obszukał łódź i podał Abby apteczkę i flary sygnalizacyjne. Sam wziął pudełko z racjami i wodę, a potem wyskoczył na piasek.

Dramatyczne zmagania najwyraźniej dały im wszystkim chwilowy zastrzyk energii – ale teraz, gdy byli już bezpieczni na suchym lądzie, Beck nagle uświadomił sobie, jak bardzo był zmęczony. Wszyscy wyglądali tak, jakby mieli za chwilę paść na piasek.

– Jeszcze nie – powiedział stanowczo. – Dalej od brzegu. O tam, spójrzcie.

Między morzem a drzewami ciągnęło się dobre dwadzieścia metrów plaży. Przez mniej więcej połowę tej odległości piasek był gładki i wilgotny. Na granicy tego wilgotnego odcinka ciągnął się pas wodorostów i kawałków drewna, które zebrały się na linii zasięgu przypływu, a więc w miejscu, którego sięgało morze, gdy fale były najwyższe.

Z piasku na skraju drzew wyrastał duży głaz. Znajdował się powyżej zasięgu pływów, piasek zaś po jednej stronie usypany był wyżej niż po drugiej. To podpowiadało Beckowi, która strona wystawiona była na wiatr, a która zapewniała osłonę. Tam mogli odpocząć.

Rozbitkowie przedstawiali sobą żałosny widok, wlokąc się utytłani chwiejnym krokiem po plaży. Dwoje dorosłych i dwóch chłopców, niosący wspólnie nieprzytomnego człowieka, wszyscy przemoczeni do suchej nitki. Dotarli w końcu za osłonę głazu, gdzie położyli Stevena i sami osunęli się na ziemię. Ściśnięci jeden obok drugiego, wtulając się w kolana, żeby się ogrzać, obserwowali, jak słońce wstaje na dobre.

„Nie możemy siedzieć tu wiecznie, upomniał się Beck w duchu, ale dam nam pięć minut, żebyśmy mogli trochę odsapnąć i rozeznać się w sytuacji...".

– Kiedy ktoś zacznie nas szukać? – zapytał.

Farrell z rezygnacją pokręcił głową.

– Nie dostaną od nas okresowego meldunku, więc niedługo zorientują się, że stało się coś złego. Zarządzą poszukiwania z morza i powietrza... ale na obszarze, w którym powinniśmy być. Prześledzą nasz planowany kurs z Miami. Problem w tym, że znacznie zboczyliśmy z drogi... – Głos mu zamarł.

– A czy znajdą wrak? – dopytywał się James.

– Marne szanse. Statek poszedł na dno jak kamień w wodę. Bóg jeden wie, jak jest tam głęboko. Ta szalupa i my to zapewne jedyne, co po nim zostało… – Wzrok kapitana zatrzymał się dłużej na wyrzuconej na brzeg łodzi, choć wydawało się, że wcale na nią nie patrzy. Beck zastanawiał się, czy ich myśli kierują się w tę samą stronę. Teraz, gdy po dramatycznych przeżyciach na morzu znaleźli się w końcu na suchym lądzie, mogli poświęcić chwilę, żeby zadać sobie pytanie: „Jak to się stało, do cholery?".

Beck wypowiedział w końcu to, co było jasne dla niego od samego początku:

– Ktoś celowo zatopił statek i nie przejmował się tym, że nadal na nim byliśmy. Załoga po prostu nas zostawiła. Dlaczego? – Przebiegł wzrokiem od twarzy Farrella do twarzy Abby, nie spodziewając się jednak, że będą znali odpowiedź, a jedynie po to, by podkreślić powagę słów. Policzki i oczy kapitana były zapadnięte, jakby właśnie umarł mu bliski przyjaciel. Abby wydawała się po prostu zmęczona.

– Nie mam pojęcia – odparł cicho Farrell.

I lepszej odpowiedzi póki co nie otrzyma, pomyślał Beck. Może nigdy nie dojdą prawdy.

Wiedział tyle, że utknęli na wyspie z apteczką, połową opakowania sucharów i workiem wody, także w połowie pustym; bez szans na ucieczkę i bez łączności z kontynentem.

Beck jeszcze raz przyjrzał się szalupie. Pomyślał, że później będą mogli odwrócić ją do góry dnem i wykorzystać jako schronienie. Osłoni ich przed słońcem za dnia, a nocą zapewni ciepło. Bo zakładał, że noc spędzą tutaj. Zresztą z tego, co mówił Farrell, mogli zabawić tu dłuższy czas.

To mu przypomniało – czy niedaleko nie zbierała się burza tropikalna? Gdy wczoraj patrzył na radar, widział ją na południowym wschodzie. Co gorsza, towarzyszyły jej czerwone ostrzeżenia przed huraganem.

Spojrzał teraz w tym kierunku i na dalekim horyzoncie dostrzegł złowieszcze kłębowisko czarnych chmur, sięgających wysoko i tworzących coś na kształt kowadła. Cumulonimbusy, chmury kłębiaste deszczowe. Beck od razu je poznał i wiedział, co zapowiadają.

Burzę. I to potężną. Jedyna pociecha, że były jeszcze całkiem daleko. Na razie.

Ta wyspa wyrastała nie więcej niż trzy, cztery metry nad wodę w najwyższym punkcie, chyba że wdrapać się na drzewo. Beck wiedział, że jeżeli zastanie ich tutaj, sytuacja stanie się nieciekawa. Bardzo nieciekawa.

– Ale co tam, mogło być gorzej! – zakrzyknęła raptem Abby radośnie. Jej nastrój zmienił się tak nagle, że Beck rozejrzał się wokół siebie w zdumieniu. – Jest z nami spec od survivalu, Beck Granger! – dodała. – On nas uratuje, co nie? No, Beck, powiedz nam, co mamy robić!

ROZDZIAŁ 23

– Dobra – powiedział Beck pół godziny później – gotowe…

Zebrali wszystkie liście i kawałki drewna, które zdołali unieść, i ułożyli na płaskiej półce skalnej na krańcu plaży. Środek wyspy porastały gęste zarośla, Beck kazał więc wszystkim przetrząsnąć je w poszukiwaniu najsuchszych rzeczy, jakie wpadną im w ręce. Rzeczy, które łatwo zajmą się ogniem.

Zbudują dwa ogniska, z których oba posłużą im do sygnalizacji: pierwsze będzie gotowe do rozpalenia, gdyby zauważyli za dnia jakiś samolot albo przepływający w pobliżu statek; drugie zapłonie już teraz, żeby byli widoczni za dnia, a także przez noc. Zwłaszcza w nocy stanowić będzie jasny punkt sygnalizacyjny widzialny z daleka.

Na spodzie obu ognisk ułożyli stertę suchych liści i gałązek. Kolejne warstwy zewnętrzne składały się z coraz grubszych kawałków drewna. Niektóre miały już odpowiednią długość, inne trzeba było połamać na mniejsze kawałki. Podstawa ogniska, czyli rozpałka, zapali się pierwsza, a większe kawałki będą stanowić opał, żywiąc płomienie.

Na wielkim ognisku sygnałowym, które rozpalą dopiero w razie potrzeby, ułożą wielkie, zielone liście palmowe, które po zapaleniu się będą obficie dymić. To było w tym najważniejsze. Za dnia dym widać lepiej niż płomień.

Półka była płaska, a głaz osłaniał ją przed wiatrem. Beck chciał, żeby mogli siedzieć wokół nocnego ogniska, chroniąc je zarazem przed podmuchami. Podsycane bryzą, mogłoby się za szybko wypalić.

Przyklęknął przy stosie.

– Pewnie nie masz zapałek, co? – zapytała Abby.

Znowu pomacał się po szyi. Na myśl o utraconym krzesiwie przygryzł wargę. Zauważył, że

James pytająco spojrzał na niego – on też najwyraźniej je pamiętał.

– Nie, nie mam – rzucił krótko, zdając sobie sprawę z tego, że będzie musiał użyć alternatywnej metody i przeboleć pęcherze na dłoniach. „Cóż, jakoś to przeżyjesz, Becku Grangerze – upomniał siebie w myślach. – Niech to będzie dla ciebie nauczka. Nie zostawiaj nigdzie swojego krzesiwa".

– Mamo – wtrącił się podekscytowany James – Beck pewnie zrobi łuk ogniowy. Będzie kręcił świder łukiem...

– Yyy, no, prawie – czternastolatek przerwał mu cicho. – To dobry pomysł, ale żeby zrobić łuk, trzeba mieć sznurek czy coś w tym rodzaju – wytłumaczył – a my go nie mamy. Muszę więc użyć rąk...

Faktycznie, zazwyczaj przy braku krzesiwa łuk ogniowy stanowił plan B. Beck po raz ostatni używał tej metody, gdy znalazł się z Peterem na Saharze. Łuk wykonał wtedy z giętkiej gałęzi, cięciwę z linki odciętej od czaszy spadochronu, zaś wiertnik z pierwszej lepszej gałęzi średnicy centymetra, którą następnie odpowiednio skrócił i lekko zaokrąglił na końcach; podkładkę i płytkę dociskową wyciął toporkiem z większego kawałka drewna. Zasada jest taka, że okręca się naprężoną cięciwę wokół świdra i kręci nim, poruszając łukiem w przód i w tył. Obracający się wiertnik dociska się klockiem trzymanym w drugiej ręce, tak że powstaje tarcie, które wytwarza ciepło, dym i na koniec mały węgielek.

Ponieważ nie mieli z czego sklecić nawet tak prymitywnego narzędzia, Beck musiał się uciec do planu C. Przerzucał zebrane patyki i gałązki, aż trafił na odpowiednie. Najpierw znalazł świder, możliwie jak najdłuższy i prosty. Wyglądał jak kołek na wampiry – długi na sześćdziesiąt centymetrów i niewiele grubszy od długopisu. Do tego z tępym końcem. Żałował, że nie ma noża, żeby wygładzić kij. Z doświadczenia wiedział, że im bardziej nierówny wiertnik, tym gorsze pęcherze. Potem zrobił podkładkę, odrywając kawał kory z drzewa patykiem. Miała wielkość talerzyka od filiżanki do herbaty.

Stos rozpałki na skale obok zrzuconego na stertę drewna przypominał małe ptasie gniazdo albo kopczyk z zeschniętych gałązek i liści. Położył podkładkę przy nim i ukląkł obok.

– James, musisz mi pomóc.

Kiedy przykląkł naprzeciwko, Beck docisnął podkładkę stopą do ziemi i ustawił świder tak, by jego czubek mocno w niej tkwił. Splunął w dłonie, przyłożył je płasko do wiertnika i wolnymi, płynnymi, lekkimi ruchami zaczął pocierać w górę i w dół, poczynając od wierzchołka i powoli schodząc aż do podstawy.

– Twoja kolej, James – ponaglił go Beck. – Będziemy robić to na przemian, żeby cały czas kręcić. Okej?... To trochę potrwa – uprzedził.

Chłopcy zabrali się do pracy, co chwila zmieniając się przy wałku. Nagle przykucnął przy nich kapitan.

– Dajcie i mnie spróbować – zaproponował. – Mam większe i silniejsze ręce... wspólnymi siłami damy radę.

Świder kręcił się bez ustanku, tarcie i ciepło u podstawy cały czas się zwiększały.

James szybko się zmęczył i utrzymywał już tylko podkładkę w miejscu, podczas gdy pozostała dwójka obracała wiertnikiem, Farrell dwa razy szybciej od Becka. Obaj spływali potem. W górę i w dół, w górę i w dół…

– Trzeba dociskać mocniej do podkładki – wydusił Beck między wdechami.

Kapitan tylko mruknął i kręcił wytrwale.

– Jest dym! – zakrzyknął w pewnym momencie James.

Beck nie miał pojęcia, jak długo się trudzili, ale James miał rację. Z czubka świdra ulatywała malutka smużka dymu.

– Dalej, dalej – wydyszał Beck z zawziętą miną.

Dymu było coraz więcej, w końcu poczuli leciutki zapach palącego się drewna.

Przylegający do podkładki czubek świdra już niemal zupełnie spowiła chmurka dymu. Sama podkładka w miejscu wiercenia zmieniła się w bardzo drobną warstewkę zwęglonych wiórów, które żarzyły się ciepło przyćmioną czerwienią.

– I stop – szepnął Beck.

Farrell odsunął się jak na komendę z westchnieniem ulgi, wsuwając obolałe dłonie pod pachy. Beck bardzo ostrożnie zrzucił wióry na przygotowane wcześniej gniazdko rozpałki. Kiedy przygasły, delikatnie w nie dmuchnął. Żar rozniecił się, zamigotał, przygasł i znów się rozniecił. Tym razem na dobre. I zaczął się rozprzestrzeniać, przenosząc się na rozpałkę.

Świeży zapach płonącego drewna przybrał na sile, a w powietrze powędrowały kosmki dymu. Beck przepchnął stosik po półce skalnej do podstawy głównego ogniska. Nie przestawał dmuchać, aż raptem z małej wiązki rozpałki strzeliły płomienie. Rozpalił się ogień.

Pozostali rozbitkowie zebrali się wokół, ucieszeni. Słońce i wiatr wysuszyły ich po dramatycznym lądowaniu na plaży, ale każdy był wychłodzony i potrzebował się ogrzać.

Beck poczekał kilka minut, aż ogień rozprzestrzenił się po stosie drewna, po czym rzucił na spód garść młodszych, mniej suchych liści. Buchnął szary dym mieszający się z płomieniami. Niebawem, pomyślał, stanie się widoczny z wielu kilometrów.

– To powinno zwrócić czyjąś uwagę, nie? – Jamesa rozpierała taka duma, że sam niemal promieniał. Beck to rozumiał. Nieraz czuł się tak samo. Wiedział, że ognisko pomoże im przetrwać, a James w jakimś stopniu się do tego przyczynił.

– No pewnie, stary – zgodził się Beck. Nie mógł się z tym nie zgodzić. Płomienie i dym na pewno zwracały uwagę, o ile w pobliżu był ktoś, kto mógł je zauważyć.

Pytanie tylko, czy przy nadciągającym huraganie w pobliżu ktokolwiek został?

ROZDZIAŁ 24

– No dobra, to teraz poszukamy wody – stwierdził Beck.

– A może coś do jedzenia? – zasugerowała Abby. – Możesz złapać ryby, jak mówiłeś, i upieczemy je na tym cudnym ognisku.

Beck pokręcił głową. Mogli przeżyć całe dni, nawet tygodnie, bez jedzenia po tym, jak skończą im się racje sucharów odzyskane z szalupy. Brak wody wykończy ich w ułamku tego czasu.

– Woda – on i James odparli równocześnie. Spojrzeli na siebie ze zdziwieniem. Beck przechylił głowę, dając Jamesowi sygnał, by mówił dalej. Ten uśmiechnął się szeroko.

– Powinnaś przeczytać ten artykuł o Becku uważniej, mamo. Mówił w nim, że organizm człowieka w siedemdziesięciu pięciu procentach składa się z wody. Nawet jeśli człowiek straci tylko pięć procent z tego, jego stan zaczyna się pogarszać, i to szybko.

Po chwili namysłu Beck przypomniał sobie, że faktycznie wspomniał o tym w wywiadzie. Reporter, który go przepytywał, uwielbiał makabryczne szczegóły. Tętno i temperatura ciała rosną, mięśnie łapią skurcze, wycieńczenie pozbawia cię przytomności, organizm obumiera.

Jeszcze na statku Beck wątpił, czy James odezwałby się do matki w ten sposób. Ale wtedy nie czuł się częścią zespołu. Beck lubił zmiany. Nie to co Abby, tego był całkiem pewien. Spojrzała na syna z ukosa.

– Może na wyspie jest jakaś woda – zauważyła.

– Może – przyznał Beck. – A może nie, a jeśli nie, to musimy zacząć myśleć perspektywicznie.

Spojrzał na niewielką stertę ich dobytku. Dużo tego nie było. Apteczka, suchary, worek wody, plandeka z brezentu i blaszane pudełko z flarami. Szybko wrócił wzrokiem do apteczki – o to chodziło. Wysypał zawartość na elegancką kupkę.

– Potrzebuję jeszcze trochę tkaniny, coś mocnego i chłonnego…

Przebiegł oczami po każdym z osobna, a potem spojrzał na siebie. Nie zamierzał prosić Abby, żeby się rozebrała, więc zostali on, James i Farrell. Wszyscy nosili bawełniane T-shirty, ale koszulka kapitana była dwa razy większa. Poza tym Beck widział, że mężczyzna miał na sobie też podkoszulek. Powinien on zapewnić mu jaką taką ochronę przed słońcem.

– Kapitanie, yyy, muszę pożyczyć pańską koszulkę…

Farrell uniósł brwi, ale rozstał się z T-shirtem bez słowa sprzeciwu. Beck popędził nad wodę z pustą apteczką i napełnił pudełko po brzegi. Kiedy wrócił, położył je na ziemi i rozłożył nad nim koszulkę. Przymocował materiał do brzegów pudełka kawałkiem bandaża i ułożył całość na płaskim miejscu na piasku tak, by słońce padało wprost na tkaninę.

– Nie wątpię, że będzie z tego trochę wody, choć jak, nie mam pojęcia – stwierdziła Abby z przekąsem.

– On robi destylator słonej wody, mamo – wypalił James niecierpliwie. Kiedy wszystkie spojrzenia zwróciły się na niego, zaczerwienił się. – Nie możemy pić słonej wody – wyjaśnił. – Tylko byśmy się bardziej odwodnili. Słońce odparuje wodę w pudełku. Sól zostanie na dnie pudełka, a para wodna wsiąknie w koszulkę, i będzie słodka, więc będziemy mogli ją wypić, yyy, jakoś… – Urwał.

Beck był pod wrażeniem. James wyraźnie sporo czytał o survivalu. Dokończył za niego:

– Wystarczy wyżąć koszulkę i zebrać wodę do tego. – Otworzył blaszane pudełko z flarami, cienkimi metalowymi rurkami długości około dwudziestu centymetrów, z wyciąganą zawleczką na nasadzie, za pomocą której się je odpalało. Wepchnął jedną do kieszeni i próbował wcisnąć tam drugą, ale się nie mieściła. Podał ją najbliższej osobie, którą była akurat Abby. – Czy mogłaby ją pani zatrzymać? Dziękuję. Kapitanie, to pańska koszulka – zajmie się pan wyżymaniem?

Farrell uśmiechnął się po raz pierwszy od zatonięcia statku i zasalutował.

– Tak jest, sir!

– Dalej… – Beck przeniósł wzrok od Abby na Jamesa i z powrotem. Przychodziły mu do głowy jeszcze dwie rzeczy, które należało zrobić. Jedną z nich mógł zrobić sam, a wiedział, kogo wolałby mieć przy sobie. – Panno Blake, czy mogłaby pani zająć się wytyczeniem wielkiego, czytelnego „SOS" na piasku?

– A co mam robić przez pozostałe dwadzieścia trzy godziny i pięćdziesiąt pięć minut mojego dnia?

Beck stłumił uśmiech.

– Zrobienie tego porządnie zajmie pani więcej niż pięć minut. Z samolotu litery będą wydawały się malutkie. Muszą mieć pięć–sześć metrów wysokości, co najmniej. Proszę je narysować na piasku, ale też użyć patyków, kamieni… wszystkiego, co się nawinie pod rękę. I proszę to zrobić z dala od linii zasięgu przypływu, żeby następna fala tego nie zmyła.

– Wielki czytelny napis. Patyki i kamienie. Już się robi.

– I proszę doglądać Stevena – dodał Beck. – I dawać mu wody. A tymczasem my z Jamesem zbadamy wyspę.

ROZDZIAŁ 25

– Nie mogę uwierzyć, że tak po prostu powiedziałeś mojej mamie, co ma robić. – James spojrzał na Becka z respektem, gdy przełazili przez zwalony pień. Na środku wyspy znajdowało się gęste skupisko drzew i zarośli. Nie widzieli już morza, ale nadal słyszeli odgłos rozbijających się fal.

– Jeśli mamy przeżyć – odpowiedział Beck, wzruszając ramionami – to musimy to zrobić razem. Każdy musi coś z siebie dać. Nie stać nas na bezczynność.

Nie mógł też zaprzeczyć, że w głębi ducha podobało mu się rozkazywanie Abby Blake. Domyślał się, że była to dla niej rzadkość, a James właśnie potwierdził jego domysły.

– Tak, ale… Nieważne. – James zatrzymał się, a jego oczy powędrowały w górę palmy przed nimi. – Hej, spójrz, kokosy!

Beck podążył wzrokiem za Jamesem. Palma miała dobre dziesięć metrów albo i więcej, i faktycznie, tam na górze, skąd wyrastały liście, wisiała cała kiść kokosów. Były zielone, duże jak piłka futbolowa, a każdy z nich otulała warstwa liści.

– Fajnie. – Beck bardzo się ucieszył z tego widoku. Nie mogli przeżyć na samych kokosach, ale miąższ był pożywny, a mleko kokosowe miało orzeźwiający smak i właściwości nawadniające. – Później trochę zerwiemy. Na razie szukamy jedynie wody.

– Myślisz, że są tu jakieś zwierzęta? Znaczy, oprócz nas?

Beck zatrzymał się i oparł ręce na biodrach. Omiótł spojrzeniem zwarte zarośla.

– Szczerze mówiąc, wątpię, żeby było tu coś większego niż owady.

Wyspa była bezludna, tego był pewien. Drzewa i krzaki były zbyt gęste. Nie było wśród nich naturalnych ścieżek, bo nikt, człowiek ani zwierzę, nigdy wcześniej nie przedzierał się przez nie. Ale owady na pewno znajdą. One panoszyły się wszędzie.

– Tak? Jadłem kiedyś w Meksyku gąsienice smażone w głębokim oleju. Całkiem smaczne – przypomniał sobie James.

– Spoko! To może znajdziemy jakieś gąsienice do usmażenia – odparł Beck z uśmiechem.

James nie brzydził się jedzenia robaków, kolejny dobry znak. Niektórzy ludzie się przed tym wzdragali, a mógł się założyć, że Abby była wśród nich. Mimo to wolałby złowić przy brzegu ryby albo kraby. Musieliby je usmażyć, bo choć ryby można jeść na surowo, kraby potrafią być trujące.

W tej chwili jednak priorytetem była woda. Wiedział, że będą mieli problem z zebraniem wystarczającej ilości odparowanej słonej wody, żeby przeżyć. Gdyby znaleźli źródło – nawet sadzawkę, która nie była stojąca – byłoby idealnie.

James wbił piętę w ziemię, mieszaninę piasku i kamyków.

– Musi tu być woda, bo inaczej nie rosłyby drzewa. Korzenie muszą ciągnąć wodę spod ziemi.

– To prawda, ale to może być głęboko. Jeśli wykopiemy studnię, woda do niej ścieknie, prędzej czy później, ale może jej być za mało, żeby się opłacało.

James sposępniał, ale po chwili się rozpogodził. Beck cieszył się, widząc, że postanowił zachować pogodę ducha. Pozytywne nastawienie było potrzebne, żeby poradzić sobie ze wszystkim, co mógł przynieść los. James pewnie i to wyczytał w czasopiśmie.

– No więc, co robiłeś w Meksyku? – Beck próbował zagaić rozmowę, podczas gdy przedzierali się przez zarośla.

James wzruszył ramionami.

– Ach, no wiesz… – Beck nie wiedział. – Coś jakby… praktyka zawodowa. W rodzinnej firmie. To w zasadzie wszystko, co robię, kiedy nie jestem w szkole. Na inne rzeczy nie mam za dużo czasu.

Beck znowu pomyślał o swoim przyjacielu Peterze. Nadal był pewien, że łatwo dogadałby się z Jamesem. Mieliby o czym rozmawiać przez wiele godzin. Tyle że Peter grał też w krykieta, uwielbiał pływać i był muzykalny... Ale żeby poświęcić „najlepsze lata życia" na praktyki zawodowe? Trochę przygnębiające.

– No cóż... – James znów wzruszył ramionami. – Dziadek tak jakby się uparł. No, a ty? Co robisz w wolnym czasie?

Było jasne, że James chce zmienić temat, ale Beck uznał, że to chyba uzasadnione pytanie.

– Ja? Ja... yyy... ja... eee...

– Oprócz przygód, to znaczy. – James dodał do tego uśmiech, żeby pokazać, że pyta z ciekawości, a nie przez złośliwość.

– Ej, przecież nie pakuję się w nie specjalnie! – zaprotestował Beck. A potem zamilkł. Tak naprawdę, pomyślał, to nie była to do końca prawda. Owszem, całkiem sporo jego przygód wynikło z przypadku, ale wyszedł z nich cało tylko dlatego, że gdy był młodszy, pilnie uczył się przydatnych rzeczy od tubylczych ludów na całym świecie. To, że tak wiele się nauczył, nie było przypadkiem. Nabył te umiejętności, bo szukał sposobności ku temu. – Chyba… tak, chyba to też praktyka zawodowa! – Beck nigdy wcześniej tak o tym nie myślał. A już na pewno tak o tym nie mówił. Nagle jednak, w tej właśnie chwili, uświadomił sobie, czym chce zająć się w życiu. – Chcę wykorzystać to wszystko w mojej pracy. Za kilka lat chcę pracować dla Jednostki Zielonej. Jak moi rodzice.

– Twoi rodzice… – James spochmurniał i zamilkł.

Beck przyzwyczaił się już do tego, że gdy ludzie słyszą o śmierci jego rodziców, nagle zapominają języka.

– Nic się nie stało – powiedział łagodnie po chwili niezręcznego milczenia. – Znaczy, nie nic. Stało się bardzo dużo złego. Ale pogodziłem się z tym. Choć naprawdę mi ich brakuje. Szczególnie podczas rodzinnych okazji, no wiesz, jak Gwiazdka.

Zawsze było mu z tym ciężko, a Beck wiedział, że to dotknęło też Ala, choć nigdy się do tego nie przyznał. Gdy umarli rodzice Becka, Al stracił jednocześnie brata i przyjaciółkę. Nieważne, jak dobrze próbowali się bawić na przyjęciach i uroczystościach, ich myśli prędzej czy później wracały do dwóch pustych miejsc w ich sercach.

James wyraźnie ucieszył się ze zmiany tematu.

– O tak, Gwiazdka! Spędzamy ją w Miami... – Nagle się roześmiał. – Zauważyłeś, że obaj wchodzimy w rodzinne biznesy?

* * *

Po niedługim czasie Beck był niemal pewien, że fale, które słyszał przed sobą, były głośniejsze od tych za jego plecami. A zatem przeszli już więcej niż połowę wyspy. Kilka razy opadał na kolana, by przyjrzeć się korzeniom tego czy innego drzewa lub krzewu. Wszystkie zagłębiały się w piaszczystą mieszankę, która uchodziła tu za glebę, ale nie znalazł żadnej ciemniejszej od pozostałych. A to oznaczało, że przy powierzchni nie było wody.

Było za to mnóstwo martwego drewna. Zatrzymali się przy drzewie, które zwaliło się w poprzek ścieżki, a Beck podważył kawałki kory patykiem. Nie chciał używać gołych rąk w tropikalnym klimacie, gdzie pod każdym skrawkiem drewna mogło ukrywać się coś z ostrymi, trującymi zębami albo żądłami, a najmniejsze zadrapanie mogło szybko ulec zakażeniu. Żałował, że nie ma porządnego noża – albo, jeszcze lepiej, maczety.

Spod kory wylazło kilka bladych wijących się pędraków, które pospiesznie odpełzły w cień. Pozwolił, żeby jeden z nich spadł mu na dłoń i uniósł go, żeby mu się przyjrzeć. Nie poznawał tego gatunku, ale sprawiał wrażenie mięsistego. Parę takich larw w żołądku i można zapomnieć o głodzie. Wyciągnął rękę w kierunku Jamesa.

– I co myślisz?

– Hm… – James zmarszczył brew, najwyraźniej próbując sobie przypomnieć wskazówki survivalowe, o których czytał. – Nie mają włosków, więc dobrze.

– Dokładnie – zgodził się Beck. Włoski zawsze wróżyły źle. Taki robak był zapewne trujący, a nawet jeśli nie, łatwo dostawał się pod skórę drapieżnika i powodował dokuczliwe swędzenie, co mogło skończyć się zakażeniem. Dlatego nie powinno się go wkładać do ust ani połykać.

– Nie ma też czarnych kropek.

James miał na myśli czarne plamki prześwitujące przez skórę – kolejny znak, że pędrak nie nadawał się do jedzenia.

– A więc… – Uświadomił sobie, co to oznacza. Owad nie był smażony w głębokim oleju. Nie obsypano go mnóstwem przypraw. To był surowy i żywy okaz. Nagle stracił cały entuzjazm. – Prawdopodobnie jest dobry…

– Prawie na pewno – przyznał Beck, wrzucając larwę do ust. Zmiażdżył ją zębami i poczuł, jak na język wylewają mu się wnętrzności o konsystencji smarków. A ponieważ robal żywił się drewnem, tak też smakował. Jak drewniane smarki. Nie była to największa delicja, ale i nie najgorsza ohyda.

Beck wyciągnął następnego do Jamesa.

– Spróbujesz? Wyobraź sobie, że to smażona gąsienica, tylko nieusmażona.

James wykrzywił usta, przyglądając się temu czemuś między palcami Becka. Wszystkie jego lektury nagle przybrały realny kształt. Czytać a zjeść to spora różnica, ale wziął pędraka, wrzucił do buzi i pospiesznie przełknął.

– Wije mi się w gardle – wydyszał.

– Trzeba go najpierw przegryźć.

James nadal wyglądał tak, jakby zaraz miał go zwrócić, ale opanował mdłości. Uśmiechnął się niepewnie, jakby sam nie mógł się sobie nadziwić.

– Chyba połknąłem... Okej, nie był taki zły...

Patrzył na ziemię. Nagle zapiał radośnie i wsadził rękę pod krzak.

– Smażona gąsienica raz! – oznajmił i dumnie uniósł jeden z największych wijów, jakie Beck w życiu widział. Długi na dobre trzydzieści centymetrów i gruby jak banan. Lśniące niczym wypolerowana stal srebrzysto niebieskie segmenty miały długość centymetra, może nawet dwóch.

Stworzenie wyglądało tak, jakby zostało zmontowane w fabryce. Wiło się w uścisku Jamesa, bezradnie ruszając krępymi odnóżami.

Beck wybałuszył oczy.

– Puść to, szybko!

Za późno. Olbrzymi wij obrócił głowę i wgryzł się w dłoń Jamesa.

ROZDZIAŁ 26

James wrzasnął i puścił stworzenie. Gapił się z przerażeniem w czerwony ślad wykwitający na skórze.

– Au! Au-au-au-au-au! Boli!

– Pokaż – poprosił Beck.

James wyciągnął rękę. Wij ukąsił go w czubek środkowego palca prawej dłoni, ten, na którym nosił srebrny pierścień.

– Co to było? – jęknął James.

Beck zerknął na olbrzymiego wija, który odpełzał chyłkiem w zarośla. Zastanawiał się, czy stawonóg był z siebie zadowolony, że dał olbrzymiemu ssakowi nauczkę.

– Skolopendra, chyba.

– Jadowita?

– Tak. – James wyglądał tak, jakby miał zaraz zemdleć. – Ale jej jad prawie nigdy nie powoduje śmierci – Beck dodał pospiesznie.

James wyrwał dłoń.

– Co to znaczy: „prawie nigdy"?

Beck chwycił dłoń kolegi i uważnie przyjrzał się ukąszeniu. Zostawiło czerwony ślad, kropkę z zaczerwienioną obwódką.

– Prawie nigdy, u ludzi. Chyba że masz słabe serce.

Skrzywił się, próbując sobie przypomnieć. Byli z Alem w obozie w Belize, słuchając pogadanki o miejscowej faunie, między innymi o skolopendrze. Jej jad zawierał kardiotoksyny, które atakowały serce. Ale ich stężenie nie było na tyle duże, by zabić cokolwiek większego od gryzonia. Ludzie po prostu odczuwali ból. Dotkliwy ból.

– Objawy obejmują miejscowy ból…

– Potwierdzam.

– Obrzęk…

James przyjrzał się palcowi sceptycznie.

– Może pojawić się lekka gorączka, choć pewnie nie u ciebie, w końcu to tylko drobne ukąszenie…

– Dla mnie nie takie drobne.

Beck uśmiechnął się szeroko.

– Ma się też niewytłumaczalną potrzebę biegania w kółko z krzykiem: „Aa, aa, olbrzymi wij, aa!”.

James uśmiechnął się, bardzo blado.

– Chyba mam wszystkie objawy.

– Powinieneś zobaczyć, jak poluje na szczura. – Facet w Belize pokazał Beckowi film, na którym wij ściga, zabija, a potem pożera biedne zwierzątko. Aż ciarki chodziły po plecach. W głowie się nie mieściło, że taka przerośnięta stonoga jest zdolna do czegoś podobnego.

– Uwierz mi, naprawdę nie chcę…

– Słuchaj, masz chustkę do nosa?

– Yyy, tak…

– Dobra, to zrobimy z niej prowizoryczny bandaż. Potem wrócimy do obozu, przemyjemy ukąszenie i przykleimy plaster. W tej chwili wiele więcej nie możemy zrobić. Nic ci nie będzie. Ale zdejmij ten pierścień. Palec pewnie ci spuchnie i zacznie cię uwierać.

Przez chwilę James wyraźnie się wahał. Beck przypomniał sobie, że to rodzinna pamiątka – może James bał się, że ją zgubi. Najwyraźniej jednak bardziej obawiał się utraty palca, bo ściągnął obrączkę, podał Beckowi, po czym zaczął grzebać jedną ręką po kieszeniach.

Zewnętrzna strona pierścienia była gładka, ale wewnątrz coś wygrawerowano. Beck zmrużył oczy, usiłując odczytać napis. Był to ciąg pojedynczych wyrazów: MĄDROŚĆ, OPANOWANIE, SUKCES, LOGIKA, UMIEJĘTNOŚCI.

W końcu James znalazł chustkę i podniósł głowę.

– Ej! – krzyknął, wyrywając Beckowi obrączkę. – Pilnuj własnego nosa!

Beck zamrugał zdziwiony nagłym wybuchem, ale uświadomił sobie, że był wścibski. Nie jego interes, co wygrawerowano. Mogło to być coś bardzo osobistego, na przykład, od kogoś bliskiego. Mimo wszystko uważał, że James zareagował nazbyt emocjonalnie.

– Sorki – powiedział pojednawczo.

James najwyraźniej też doszedł do wniosku, że przesadził, bo zaśmiał się nerwowo.

– Przepraszam. Po prostu… – Urwał.

– To rodzinna pamiątka, prawda? – Beck schylił głowę, żeby opatrzyć chustką palec kolegi.

– Tak. – James zdobył się na kolejny słaby uśmiech i uniósł pierścień do góry. – To coś w rodzaju rodowej dewizy. Dziadek, który założył naszą firmę, mówi, że to są cechy, których oczekujc od nas wszystkich. Jeśli wszyscy w firmie je posiądą, to nie będzie dla nas rzeczy niemożliwych… Tak mówi.

Beck skończył zawiązywanie prowizorycznego bandaża.

– Nie wyglądasz na przekonanego.

James się skrzywił.

– Jak już mówiłem, dziadek oczekuje, że ja też zajmę się rodzinnymi interesami, ale… – Wzruszył ramionami i rozejrzał się wokół. – W życiu nie chodzi tylko o zarabianie pieniędzy. Nigdy tak naprawdę się nad tym nie zastanawiałem, dopóki… no wiesz. Niemal nie zginęliśmy na tym statku!

– Aha. – Beck zdecydowanie zgadzał się, że nic tak nie uczyło doceniać wspaniałości i wartości życia jak otarcie się o śmierć.

– No bo, spójrz na siebie – podjął James. – Tak wiele przeżyłeś. Tyle rzeczy widziałeś. Świat jest taki… taki wspaniały. Nawet w takim miejscu jak to. Na głupiej, zapadłej wysepce, na której roi się od olbrzymich jadowitych wijów. Ludzie mogliby zwyczajnie zniknąć, a świat i tak by sobie poradził, bo tak został stworzony… Wszystkie ekosystemy po prostu współdziałają ze sobą… Kto mógłby chcieć to zniszczyć?

Beck uniósł brew. Nie do końca rozumiał, o co chodziło Jamesowi. Zaczął od pieniędzy, potem jakoś zszedł na temat życia i piękna świata, i skończył na ochronie środowiska. Beck zgadzał się ze wszystkim, ale nie miał pojęcia, co ma piernik do wiatraka. Doszedł jednak do wniosku, że to nie jego sprawa, zresztą w tej chwili miał poważniejsze zmartwienia.

– Zaopiekuję się twoim pierścieniem, zgoda? Mam kieszeń z zamkiem. – James skinął głową w milczeniu, więc Beck wsunął go do kieszeni. – Wracajmy do obozu.

Ruszyli z powrotem nieco inną drogą, by poszerzyć obszar poszukiwań. Ale i tak nie znaleźli wody. Beckowi chciało się pić z wysiłku – przedzieranie się przez gęstą roślinność było wyczerpujące. Zdobycie wody będzie nie lada problemem. James jakby czytał mu w myślach, bo powiedział:

– Udzieliłeś kiedyś wywiadu w necie... mówiłeś o destylatorach słonecznych. Możemy taki zrobić, używając plandeki z szalupy...

– Dobry pomysł – przyznał Beck. James był najwyraźniej jedną z tym osób, która potrafiła zrobić praktyczny użytek ze swojej wiedzy.

Mogli wykopać dół i zakryć go brezentem, przyciskając go kamieniami. Wilgoć z ziemi skropli się na spodzie osłony. Jeśli położą pod nią blaszane pudełko i obciążą środek brezentu kamieniem, stworzą pochyłość, po której spłyną kropelki wody i ściekną do pojemnika.

– Pamiętam... – powiedział Beck. Wyszli spod drzew na plażę w pewnej odległości od obozu, więc skręcili w prawo i ruszyli piaszczystym brzegiem. – Ale pominęli jeden szczegół, bo to podobno byłoby zbyt drastyczne dla młodych czytelników...

– Tak? – James zrobił wielkie oczy, a Beck uśmiechnął się szeroko.

– Można zwiększyć ilość odparowywanej wody, wkładając do dołu wilgotne rzeczy. No wiesz, rośliny... albo po prostu siusiając do środka.

– Fuj, ohyda. – Potem James się roześmiał. – Czyli za każdym razem, gdy nam się zechce, mamy załatwiać się do dołu?

– No, tak. Wszystkie nieczystości zostaną odparowane.

James zatrząsł się, próbując powstrzymać rozbawienie.

– Moja... moja mama też?

Na myśl o napuszonej, eleganckiej Abby, załatwiającej się do dziury w ziemi, Beck też zaczął się śmiać. Chichrali się jeszcze, gdy doszli do obozu.

Pierwsze, co rzuciło się Beckowi w oczy, to fakt, że Abby nie wytyczyła SOS na piasku. Widział jakieś kreski, które mogły stanowić górną połowę pierwszego „S", ale nic więcej.

Zaraz potem zauważył kapitana i Abby, stojących obok sobie i spoglądających na nich z powagą na twarzy. Beck poczuł, że jego dobry nastrój pęka jak bańka mydlana.

– Co się stało? – zapytał.

Abby podeszła do niego i złapała go w objęcia tak niespodziewanie, że nie mógł się bronić.

– Och, Beck, tak mi przykro.

Odsunęła się i zbliżył się Farrell. Przez chwilę Beck bał się, że i on go przytuli.

– Beck, bardzo mi przykro, ale obawiam się, że Steven zmarł od obrażeń.

ROZDZIAŁ 27

Steven leżał spokojnie tam, gdzie Beck go zostawił, w cieniu drzewa, z kamizelką ratunkową wsuniętą pod głowę. Na pierwszy rzut oka mogło się niemal wydawać, że śpi – ale nie, jeśli przyjrzało się bliżej. Nic nie wydaje się bardziej martwe niż martwy człowiek.

James jęknął cicho. Zrobił się zielony, wpatrując się w ciało wielkimi oczami. Wyglądał tak, jakby zbierało mu się na wymioty. W odróżnieniu od Becka, nigdy nie widział zwłok. Beck złapał go za ramiona i zaprowadził do Abby.

– James został ukąszony – przekazał jej szorstko. – Palec trzeba przemyć i owinąć bandażem.

Abby w mig zmieniła się w stuprocentową matkę.

– Daj, niech spojrzę…

Gdy matka i syn zajęli się sobą, Beck spojrzał wyczekująco na Farrella, spodziewając się wyjaśnienia. Kapitan pokręcił głową.

– To stało się nagle. Poszedłem sprawdzić destylator, a Abby go doglądała… Zawołała mnie, powiedziała, że on… Zanim podbiegłem, już nie żył. Beck, sądzę, że żadne z nas nie mogło mu pomóc. Ta rana na głowie… potrzebował pomocy. To nie nasza wina.

– To wina tych, którzy zatopili statek – stwierdził ponuro Beck. – To oni go zabili. – Poczuł łzy napływające mu do oczu.

Trochę zaskoczyła go tak emocjonalna reakcja, bo w końcu nie byli bliskimi przyjaciółmi. Dogadywali się nieźle, ale nie znali się zbyt długo. Steven był jednak pierwszą osobą, którą Beck stracił w takich okolicznościach. Owszem, widział ludzi ginących w nagłych wypadkach – w katastrofie samolotowej, w wyniku erupcji wulkanu. Zawsze dochodziło do tego, zanim wziął za nich odpowiedzialność. Ale jeszcze nikt nie umarł przy nim w chwili, gdy to początkowe zagrożenie minęło.

– Musimy go pochować, Beck, i to szybko.

Beck rozumiał, co kapitan miał na myśli. W tym skwarze martwe ciało mogło bardzo szybko zacząć się rozkładać. A wtedy mewy i kraby poczułyby zapach i zleciały się do zwłok... Musieli zrobić coś ze Stevenem. Wykopanie grobu wymagało jednak dużego wysiłku i utraty energii, i jeszcze bardziej wzmogłoby ich pragnienie.

Abby podeszła do nich.

– Właśnie tak sobie myślałam. Zrzuciliśmy wszystko na wspólną kupę, gdy tu dopłynęliśmy, ale nikt nie przeszukał kieszeni Stevena, prawda? – Beck i Farrell spojrzeli na nią. Wzruszyła ramionami. – Przykro mi, ale nie możemy sobie pozwolić na sentymenty, nie? Zanim go pogrzebiemy, powinniśmy sprawdzić, co ma przy sobie.

Miała absolutną rację, ale Beck wolałby, żeby wpadła na ten genialny pomysł w bardziej stosownej chwili. Na przykład, *zanim* Steven umarł.

– Słuchaj, Beck, mogę... – odezwał się Farrell, ale Beck pokręcił głową.

– Nie, sam to zrobię. – Na miejscu Stevena Beck nie chciałby, żeby ktoś zupełnie obcy grzebał mu w rzeczach.

Steven wciąż miał na sobie to samo dzienne ubranie, w którym opuścił tonący statek: adidasy, spodnie, skórzaną kurtkę. Beck obszukał najpierw kieszenie spodni.

– Chustka... klucze.... – W wierzchnich kieszeniach kurtki niczego nie było. Beck rozpiął ją i pomacał w środku. – Portfel.

Były w nim karty płatnicze, prawo jazdy, kilka mokrych banknotów, a także zdjęcie małej dziewczynki.

Beck przyglądał mu się przez chwilę. Nikt nie umiera w oderwaniu od świata. Każda śmierć odbija się na innych ludziach. Pamiętał, że Steven wspominał o córce. Miała sześć lat.

Ludzie często myślą, że w jakiś czarodziejski sposób „poczują" coś, gdy umrze ktoś bliski. Gorzkie doświadczenie nauczyło Becka, że to nieprawda. Gdzieś, w tej chwili, ta mała dziewczynka – albo inne dziecko, albo rodzice Stevena zajmowali się beztrosko swoimi sprawami, nie wiedząc, że ich życie właśnie legło w gruzach.

Zamknął portfel i pomacał kieszeń po drugiej stronie. Wyczuł kawałek złożonego papieru. Była to pojedyncza kartka formatu A4, przemoczona, ale powoli wysychająca.

– Jeszcze to.

– Coś się nam przyda? – zapytała Abby.

Beck leniwie rozłożył papier. Jego znaczenie dla przetrwania było niemal zerowe.

– Niezbyt. Choć papier mógł się przydać, gdy rozpalaliśmy ognisko…

Nagle zamilkł, przyjrzał się uważniej. Coś na tej kartce przyciągnęło jego wzrok. Jak wtedy, gdy słyszysz swoje imię w zatłoczonym pokoju – są rzeczy, które od razu zwracają twoją uwagę. To była jedna z nich.

Laserowy wydruk rozmazał się w wodzie, ale wciąż był czytelny. Nie, nie przewidziało mu się. Stało jak byk, czarno na białym.

Lumos.

Serce zabiło mu mocniej, gdy uważniej przyjrzał się stronie. Było na niej logo – rozświetlona planeta Ziemia z napisem LUMOS INC. A także adres biura w Miami.

Pierwsza linijka brzmiała: POUFNY DOKUMENT, NIEPRZEZNACZONY DLA SZCZEBLA NIŻSZEGO NIŻ KIEROWNICZE.

– Beck? – zaniepokoił się Farrell. – Wyglądasz, jakbyś zobaczył ducha.

Beck uniósł kartkę.

– To Lumos…

Kapitan wzruszył ramionami.

– Ta firma energetyczna?

Beck wiedział, że Lumos był w teorii jedynie firmą energetyczną. Był też jednak firmą, z którą zetknął się już nieraz i nigdy nie było to nic przyjemnego. Prowadzący ją ludzie byli chciwi, nieuczciwi, i nic ich nie obchodziło, ile szkód narobią, o ile mogli na tym zarobić.

Wiedział też o Lumosie coś, czego nigdy nie powiedział głośno w żadnym z wywiadów. Al stanowczo mu tego zabronił. Lumos miał renomowanych prawników, a Beckowi brakowało dowodów. Teraz jednak powiedział to:

– Lumos zabił moich rodziców.

ROZDZIAŁ 28

– Masz na to dowody, Beck? – zapytała Abby. – Bo jeśli nie, bardzo niebezpiecznie jest rzucać takie oskarżenia publicznie… Tak tylko mówię.

– To mnie pozwij – odciął się Beck, spoglądając jej w oczy.

Ten kawałek papieru po prostu nie miał sensu, przekonywał sam siebie. Steven miałby pracować dla Lumosu? Steven, którego Al znał i któremu ufał od lat? Czy Al powierzyłby Becka jego opiece, gdyby miał choć cień wątpliwości?

Jak, do cholery, Steven mógł mieć z nimi cokolwiek wspólnego?

Ale jak inaczej ten dokument znalazł się w jego kieszeni? Bardzo ważny poufny dokument, przeznaczony wyłącznie dla osób na najwyższym szczeblu. Coś tu nie grało.

– I co jeszcze jest tam napisane? – zapytała Abby. Przez chwilę Beck patrzył na nią spode łba. Nie obchodziło go, co było tam napisane. Tylko po to grzebali w kieszeniach Stevena, żeby sprawdzić, czy miał przy sobie coś, co pomogłoby im przeżyć. Zamiast tego znaleźli kolejną komplikację. A Lumos znów znalazł sposób, by zatruć mu życie. Był jak te pasożytnicze osy składające jaja w innych owadach. Kiedy larwy się wykluwały, pożerały gospodarza od środka. Beck miał wrażenie, że Lumos złożył w nim swoje jaja wiele lat temu, a teraz z jednego z nich coś się wykluwa.

W następnej linijce przeczytał: „Paliwo dla przyszłości – strategia dla źródeł energii nadających się do eksploatacji w rejonie Morza Sargassowego". Na odwrocie widniała mapa. Spojrzał raz jeszcze na pierwszą stronę. Jego wzrok przykuło znajome wyrażenie na początku dokumentu. Hydraty metanu.

– Ej, James, czy to nie o tym mi mówiłeś? – Pokazał mu linijkę.

James spojrzał na tekst.

– Yyy, tak. Zaginięcia statków, i, yyy, że… Tak.

– A czemu Lumos miałby się interesować zaginięciami statków? – zdziwił się Farrell.

Beck wzruszył ramionami. Wątpił, czy Lumos chciał, żeby statki ginęły. Chciał raczej, żeby pływało ich jak najwięcej, żeby ich trujące, niewydolne silniki kopciły na potęgę, bo dzięki temu mógł dostarczać im więcej paliwa i mnożyć zyski.

– Hydrat metanu może być naprawdę dobrym źródłem energii – wyjaśnił James. – Tworzy go gaz ziemny zamarzający pod ciśnieniem głęboko pod ziemią. Jest o wiele lepszy niż gaz ziemny pod warunkiem, że ostrożnie się z nim obchodzi.

– A jeśli nie? – zapytał Farrell.

– Jest lepszy niż gaz ziemny, ale też bardziej wybuchowy. Jeden mały błąd i *pszsz*! – James pokazał wybuch na migi. – Pamiętacie tę platformę wiertniczą, która stanęła w ogniu?

– Deepwater Horizon? – domyślił się Beck. Pamiętał, że Al interesował się tą sprawą. Prawnicy Jednostki Zielonej zajmowali się nią od początku. W 2010 roku na platformie wiertniczej w Zatoce Meksykańskiej doszło do wybuchu, w wyniku którego zginęło kilku członków załogi. Platforma paliła się przez dwa dni, a potem zatonęła. Przez kolejne trzy miesiące ropa wyciekała z odwiertu do morza. W rezultacie doszło do katastrofy ekologicznej.

– To był odwiert naftowy – przypomniał sobie kapitan. – Nie szukali hydratu metanu.

– Nie, ale niektórzy sądzą, że mogli przewiercić się do kieszeni gazowej – wyjaśnił James. – Żaden rząd nie zgodził się jeszcze na eksploatację hydratu metanu.

– Czemu nie, skoro to takie świetne źródło energii?

– Biurokracja – prychnęła Abby, wzruszając ramionami.

James spojrzał na nią z ukosa.

– Do tego blisko dwadzieścia razy skuteczniej zatrzymuje ciepło w atmosferze, więc jeśli wszyscy zaczną go używać, globalne ocieplenie skoczy do góry.

– To akurat coś w stylu Lumosu – skomentował Beck. – Jest niebezpieczny dla ludzi, zanieczyszcza środowisko i nabija kieszenie kilku ważniakom na górze. – Przebiegł oczami po mapie. – „Prawdopodobne rozmieszczenie złóż HM"… Bla, bla, bla… O, słuchajcie tego. „Kwestią kluczową dla zapewnienia maksymalizacji zysków jest nieujawnianie położenia Wyspy Alfa jako potencjalnego źródła energii"… Typowe. Nikomu nie mówcie, bo mogą przykręcić nam kurek, zanim zdążymy na tym zarobić. Zmiął papier i rzucił nim w Abby. – Masz, poczytaj sobie, skoro musisz. – I ruszył plażą, żeby wyjrzeć na morze.

Beck spoglądał na fale przez długi czas. Gdy tylko czuł napływające do oczu łzy, odwracał się pod wiatr i je osuszał. W jego głowie ciągle kołatało się jedno słowo.

Lumos.

Jak oni to robili? Jak to możliwe, że maczali palce we wszystkim? Jak to możliwe, że wszystko, czego się dotknęli, kończyło się źle?

I jaki to miało związek ze Stevenem? No jaki?

Nie wiedział, ile czasu bił się z myślami, lecz nagle u jego boku pojawił się James.

– Yyy, Beck? Kapitan i mama chcieliby z tobą pogadać…

Chłopcy zawrócili w stronę dorosłych. Beck szedł wolno, kopiąc w piasek. Abby wygładziła mapę i rozłożyła ją na piasku. Po jednej stronie kartki ciągnęła się falista linia, w której Beck rozpoznał wybrzeże Florydy. Kolorowe plamy oznaczały miejsca, w których według Lumosu miały znajdować się złoża hydratu metanu. Ciemne kropki symbolizowały wyspy.

– Beck, rozmawiałam z kapitanem, i on jest całkiem pewny, że jesteśmy tutaj. Ta kropka to nasza wyspa.

Jej palec zakrywał rzeczoną kropkę, więc Beck musiał go odsunąć. Tak, bez wątpienia była to kropka.

– Zastosowałem zwykłą nawigację zliczeniową – wtrącił Farrell. – To znaczy ustaliłem naszą przybliżoną pozycję na podstawie tego, jak bardzo mogliśmy zboczyć z kursu przy pełnej prędkości w tym czasie… ale tak, prawdopodobnie jesteśmy tutaj.

To byłaby przydatna informacja, gdyby mogli skontaktować się ze światem zewnętrznym. A w tej sytuacji nie było z niej większego pożytku.

– No dobra, to wiemy, gdzie jesteśmy. Wiele kilometrów od czegokolwiek.

– Niezupełnie. – Abby przesunęła dłoń, którą trzymała dokument, ujawniając kolejne znaczniki. Była wśród nich mniejsza kropka z napisem WYSPA ALFA.

– To ta baza Lumosu, o której nikt nie powinien wiedzieć…

– Gdyby udało się połatać łódź, pewnie byśmy tam dopłynęli.

– Nie. – Beck stanowczo pokręcił głową. – Nie ma mowy. Pierwsza zasada survivalu mówi: zostań w miejscu, aż ktoś cię uratuje. Chyba że... – dodał, przypominając sobie wszystkie sytuacje, gdy złamał tę zasadę. Przemierzył góry, pustynie, dżungle... – Chyba że ma się bardzo dobry powód, żeby nie czekać. Na przykład, gdy oznacza to pewną śmierć. Ale załóżmy, że ktoś tu dotrze za nami i znajdzie tę wyspę. Skąd będzie wiedział, dokąd się udaliśmy? Stracimy szansę na ratunek. Jeśli zostaniemy tutaj, to mamy jedzenie i wodę... – Co nie było do końca prawdą, i dobrze to wiedział. Wody mieli coraz mniej, a trochę potrwa, zanim pozyskają ją z innych źródeł, ale nie chciał zdawać się na łaskę otwartego morza. Tym bardziej że u celu przeprawy leżała wyspa pełna sługusów Lumosu.

– Rozumiem twoje wątpliwości, Beck – powiedział łagodnie Farrell – i podzielam je. Ale spójrz na to z drugiej strony. Skoro na tej wyspie jest baza, są tam też ludzie. Muszą mieć łączność z kontynentem. Na pewno mają żywność i wodę. A cokolwiek sądzisz o tej firmie, Beck, ci tam są po prostu zwykłymi ludźmi, jak ty i ja. Oni nam pomogą.

Beck potaknął. Bardzo chciał wierzyć w to, że pracownicy Lumosu byli zwykłymi, przyzwoitymi ludźmi. Że podłość ograniczała się do najwyższego szczebla korporacji. Spotkał już jednak tych „zwykłych ludzi" i oni też okazali się podli. Nikomu tam nie można było ufać.

Z drugiej strony, na Wyspie Alfa mogli mieć większe szanse. Zwłaszcza w obliczu nadciągającego huraganu. Większe niż tutaj, w każdym razie.

Spojrzał Farrellowi prosto w oczy.

– Pan jest marynarzem. Myśli pan, że dopłyniemy szalupą tak daleko? Ile nam to zajmie?

Nie wystarczyło, żeby łódź przetrwała przeprawę. Sami musieli ją przetrwać.

– Sądzę, że uda mi się utrzymać ją na wodzie przez dwadzieścia cztery godziny – zapewnił Farrell. – I chyba właśnie tyle czasu potrzebujemy.

– Zdążymy przed huraganem?

Jeśli było jakiekolwiek prawdopodobieństwo, że huragan dotrze tu pierwszy, zostaną na miejscu. Trudno będzie go przetrwać na wyspie, ale w szalupie na otwartym morzu nie mieliby najmniejszych szans.

– Zdążymy. Będziemy wiosłować jak zeszłej nocy. Dwie osoby przy wiosłach, jedna przy sterze, jedna odpoczywa, i zmieniamy się co godzinę.

Beck położył ręce na biodrach i przeszedł się plażą, żeby przyjrzeć się rozbitej szalupie. Nie było z nią aż tak źle – nie licząc jednego wielkiego pęknięcia. Farba też ucierpiała w starciu ze wzburzonymi falami. Łuszczyła się i odłaziła jeszcze bardziej. Beck mógł niemal dostrzec cień starego napisu na kadłubie, pozostałość po poprzednim malowaniu. Ale to nie farba była problemem. Nie obchodziło go, jak wygląda łódź, tylko czy pływa.

Naprawę nie chciał tego robić. Zanim Beck ruszył się skądś, zawsze oceniał, czy nie lepiej zostać na miejscu. Zazwyczaj wychodziło mu coś w rodzaju: dwadzieścia pięć procent – zostać, siedemdziesiąt pięć procent – odejść. W tym przypadku wyszło mu raczej: czterdzieści dziewięć procent – zostać na tej wyspie, pięćdziesiąt jeden – wyruszyć na Wyspę Alfa. Lecz te dwa procenty różnicy przeważyły szalę.

Wrócił do pozostałych już z głową pełną planów. Na początek musieli zgromadzić zapasy kokosów na drogę…

– Zrobimy to – oświadczył. – Ruszamy dziś w nocy.

ROZDZIAŁ 29

Beck z namaszczeniem zawiązał kawałek bandaża na nadgarstku Jamesa, a ten lekko się skrzywił.

– Nie za ciasno?

James zmusił się do uśmiechu.

– Wciąż czuję palce. Ale ledwo.

– Przywykniesz. – Beck podniósł kamyk i drugi kawałek bandaża, po czym odwrócił się do Abby. Kobieta bez słowa wyciągnęła nadgarstek.

Tabletki na chorobę morską przepadły, kiedy szalupa się rozbiła. To była alternatywna metoda, wykorzystująca zasady akupresury, o której Beck słyszał, ale którą po raz pierwszy stosował w praktyce. Wywieranie nacisku na środek nadgarstka miało ponoć stymulować nerwy w ramieniu i ułatwić mózgowi ignorowanie sprzecznych sygnałów napływających z innych źródeł. W tej chwili każdy z nich miał nadgarstek przewiązany bandażem z naciskającym na niego malutkim kamykiem pod spodem. Był to ostatni środek ostrożności, jaki mogli przedsięwziąć przed odpłynięciem.

– Pora ruszać – zarządził Beck.

Połatana szalupa unosiła się między nimi, a fale rozpryskiwały się wokół ich kolan i ud. Załadowali na nią cały swój skromny dobytek.

– ...dwa, trzy – odliczył Farrell. – Jedziemy!

Z Abby i Jamesem po jednej stronie, Farrellem i Beckiem po drugiej, wypchnęli łódź na morze. Wcześniej przećwiczyli ten manewr kilkakrotnie. Gdy fala uniosła szalupę, wskoczyli do środka. Wyszło niezgrabnie, bo w ramach naprawy rozpięli plandekę nad przednią częścią łodzi, co ograniczyło miejsce dla pasażerów. Wdrapali się na pokład w plątaninie poobijanych kończyn.

Abby chwyciła za rumpel i skierowała go na kurs, który oddalał szalupę od wyspy. Beck i Farrell złapali za wiosła, zanurzając pióra w wodzie. Napierali z całych sił, popychając łódź ku rozbijającym się falom. Przedarcie się przez nie było dopiero pierwszym wyzwaniem, które na nich czekało.

Słońce zachodziło prawie na wprost za wyspą. Czerwone światło przebłyskiwało między sylwetkami ciemnych drzew. Zostawili tam ciało Stevena, z dłońmi skrzyżowanymi na piersi i przykryte kilkunastocentymetrową warstwą mokrego piasku. W tej sytuacji nic lepszego nie mogli zrobić. Zabranie go ze sobą nie wchodziło w grę, nie było też czasu na wykopanie porządnego grobu. Beck miał nadzieję, że znajdą pomoc i wrócą na wyspę, zanim kraby się do niego dobiorą.

– Uwaga! – zakrzyknął James z dziobu. Beck słyszał niepokój w jego głosie.

Zaraz potem łódź zatrzęsła się i uniosła, uderzając w grzywacza. Woda rozbryznęła się o kadłub i zmroziła plecy Becka, ale szalupa uniosła się razem z nią i opadła z impetem po drugiej stronie. Sterta kokosów potoczyła się pod brezentem, odbijając się z głuchym łoskotem od burt.

– Jak łata? – warknął Farrell.

Minęła chwila, zanim James wczołgał się pod osłonę, uchylając się przed kokosami, i spojrzał na ich prowizoryczną zatyczkę.

– Wygląda na to, że trzyma.

Beck utrzymywał rytm, jeden, dwa, jeden, dwa, napierając na wiosło w jednym tempie z Farrellem. Łódź dosięgła następnej fali i zaczęła się unosić, ale tym razem woda nie rozbiła się o nią. Odpłynęli już dalej od wyspy i fale nie osiągnęły jeszcze punktu krytycznego, w którym zaczynają się załamywać. Trzecia fala, kilka minut później, już tylko podmyła ich lekko. Wreszcie znaleźli się poza strefą przyboju. Przestali ciążyć ku wyspie. Farrell poprosił o kolejny meldunek o stanie naprawy.

– Nadal się trzyma.

Kapitan jedynie mruknął i naparł na wiosła razem z Beckiem.

Siedząca u steru Abby trzymała zegarek Becka. Odwróciła się w siedzeniu, skierowała wskazówkę godzinową na zachodzące słońce i ustaliła namiar, potem pchnęła rumpel i łódź skręciła w stronę Wyspy Alfa.

Wytyczając kurs, posiłkowali się mapą na dokumencie znalezionym w kieszeni Stevena i zegarkiem Becka. Okrąg ma trzysta sześćdziesiąt stopni, a na tarczy zegara zaznaczono sześćdziesiąt minut. Oznaczało to, że każda minuta na tarczy odpowiada sześciu stopniom w rzeczywistości. Wcześniej położyli zegarek na mapie i ustalili, że muszą płynąć kursem osiemdziesiąt stopni – trochę na północ od kierunku wschodniego.

Beck miał nadzieję, że niebawem uwolnią się od prądów wokół wyspy i wpadną w Prąd Zatokowy, który poniesie ich dalej w odpowiednim kierunku.

Czuł, jak woda chlupocze mu wokół kostek. Miał nadzieję, że to pozostałość po falach rozbijających się o okrężnicę, a nie skutek powiększającego się przecieku.

– Trzeba wybrać wodę – zawołał.

James od razu ruszył do pracy, napełniając wodą blaszane pudełko, a następnie opróżniając je za burtą. I tak płynęli na tle zachodu słońca, a później – gwiazd.

Beck opatrywał wiele ran i połamanych kończyn – swoich i nieswoich. Ale jeszcze nigdy nie robił tego z łodzią. Aż do teraz. Słyszał o tej metodzie, ale to Farrell wcielił ją w życie. Złożyli brezentową plandekę na pół, owinęli ją wokół jednego końca szalupy i przywiązali mocno do kadłuba linami zwisającymi z boków, szczelnie zakrywając pęknięcie.

Z początku wyglądało to śmiesznie – jakby zabandażowali ranę i liczyli na to, że sama się zagoi. Jednak po spuszczeniu łodzi na wodę od razu dało się zauważyć różnicę. Ciśnienie wody na zewnątrz wepchnęło plandekę w szczelinę i zatamowało przeciek.

Największy problem stanowiła lina spajająca całą tę prowizorkę. Beck, który nie mógł pozbyć się koszmarnego przeczucia, że plandeka poluzuje się na środku oceanu, mimo że znalazł solidne patyki i okręcił wokół nich linę, przekręcając je, by zacieśnić węzeł. Linę trzeba było jednak cały czas dokręcać. Ten, kto odpoczywał, musiał też kontrolować mocowanie i wygarniać przeciekającą wodę.

Żadne z nich za bardzo się nie wyśpi. Ale Beck powtarzał sobie, że to tylko dwadzieścia cztery godziny – tak twierdził kapitan. Nikt nie da rady wytrzymać tak w nieskończoność, ale kiedy wpadnie się w rytm, łatwo wyłączyć myślenie i mozolić się dalej. A potem paść na twarz po dotarciu do celu.

Ciszę z rzadka przerywały krótkie pytania o czas albo kurs. Nikt nie był w nastroju do konwersacji. Poza tym od mówienia chciało się pić. Im bardziej oddalali się od wyspy, tym bardziej uświadamiali sobie, że ich życie zależy od prowizorycznej łaty. W końcu znajdą się za daleko, by dopłynąć do wyspy o własnych siłach, jeśli łódź zacznie tonąć.

Przez pierwszą godzinę Abby odpowiadała za ster, ale mimo to Beck nie odrywał oczu od gwiazd. Ku jego uciesze dobrze trzymała kurs. Musiał sobie powtarzać, że może różniła się od niego, miała zupełnie inne wartości i odmienne spojrzenie na świat, ale nie była głupia, co to, to nie.

Kiedy zaszło słońce, wrócili do nawigacji względem Gwiazdy Polarnej, jedynej niemal nieruchomej na niebie. Wszystkie inne zmieniały położenie, prędzej czy później. Mniej uważny obserwator tego nie dostrzeże, ale w ciągu nocy cały układ gwiazd powoli się obraca. Dlatego nie można wybrać pierwszej lepszej gwiazdy i powiedzieć: „Kierujmy się na nią". Łódź zatoczyłaby wtedy jedynie szeroki łuk. Jedyne co można zrobić, to upewniać się, że Gwiazda Polarna znajduje się zawsze w konkretnym punkcie nad burtą, choć nawet to zawodzi na dłuższych dystansach. Ale Wyspa Alfa leżała dość blisko – mimo że przeprawa szalupą, płynącą wolno przez olbrzymi ocean, potrwa co najmniej dobę, lot samolotem zająłby kilka minut.

Po upływie godziny wszyscy zamienili się miejscami. Beck siedział dotąd przy lewym wiośle, więc teraz wypadła jego kolej na odpoczynek na dziobie. James przejął prawe wiosło, Farrell rumpel, a Abby przeszła na lewą stronę.

Żeby dostać się na dziób, Beck musiał zanurkować pod brezentową plandekę. Przyjrzał się uważnie swojemu dziełu, choć było zbyt ciemno, by za dużo zobaczyć. Wyglądało na to, że spełnia swoje zadanie. Przez kilka minut wybierał wodę, a potem spróbował się przespać przez resztę wydzielonej godziny.

Wydawało mu się, że minęła raptem sekunda, a już nadeszła pora powrotu do wiosła. Potem godzina przy sterze, wypełniona zmaganiem się z opadającymi powiekami i sprawdzaniem, czy Gwiazda Polarna była we właściwym miejscu. Potem jeszcze jedna tura przy wiośle i znów godzina błogiego odpoczynku na dziobie...

Alarm w zegarku Becka zasygnalizował kolejną zmianę. Obaj z Farrellem przestali wiosłować i się przeciągnęli. Beck skrzywił się, czując, jak trzeszczą mu stawy, i jak krew napływa do zmęczonych mięśni, w których zaczęły łapać go skurcze. Był to konicc jego trzeciej zmiany przy lewym wiośle, co oznaczało, że minęła ósma rano. Płynęli od przeszło dwunastu godzin.

Podążali na wschód, był więc zwrócony plecami do wstającego słońca i nie widział go dokładnie. Patrzył, jak szare światło rozchodzi się nad coraz bardziej niebieską wodą, a świat nabiera kolorów. Abby powoli zmaterializowała się u steru w postaci osoby zamiast jedynie kształtu. Dłubała przy bandażu na nadgarstku. Wygląda na przemęczoną i senną.

– Obudzę Jamesa. A ty nastaw zegarek – odezwał się Farrell. Obrócił się na siedzeniu i wyciągnął nogę, trącając chłopca smacznie drzemiącego na dziobie z kamizelką ratunkową pod głową.

Płynęli znów względem słońca, jak uzgodnili zeszłej nocy. Słońce, w odróżnieniu od Gwiazdy Polarnej, wędrowało po niebie. Beck chciał więc, żeby co kwadrans osoba przy sterze ustalała aktualny namiar i korygowała kurs. Wokół nich rozciągał się ocean. Łatwo można było się zgubić, i nawet mały błąd mógł sprawić, że rozminą się z celem o wiele mil.

Nastawiał właśnie alarm na piętnaście minut, gdy coś uderzyło w szalupę. Prawie tego nie poczuł. Usłyszał jedynie cichy, głuchy odgłos. Beck podejrzewał, że dziób po prostu wpłynął w falę pod nieco ostrzejszym kątem niż zwykle.

Nagle łoskot się powtórzył, a łódka wyraźnie się zatrzęsła.

Za trzecim razem Beck musiał chwycić się burty, żeby się nie przewrócić.

– Hej, co…?

James jęknął cicho. Rozdziawił usta i wytrzeszczył oczy. Uniósł powoli ramię i wskazał na morze. Beck podążył wzrokiem za jego palcem.

W odległości kilku metrów ukazała się ciemnoszara trójkątna płetwa grzbietowa, pod którą majaczył zarys lśniącego cielska. Po chwili zniknęła pod wodą niemal bez rozprysku.

– To re... – Pierś Jamesa falowała gwałtownie. – To re... – jąkał się chłopak w panice, aż w końcu wydusił z siebie: – To rekin!

ROZDZIAŁ 30

Jedna myśl w głowie Becka goniła drugą. Niedawno u wybrzeży Kolumbii przekonał się, do czego zdolne są te drapieżniki. Kiedy płynął na tratwie z Chrissy i Marco, wystarczyło trochę rybich wnętrzności wylanych z puszki, by sprowokować atak żarłacza tygrysiego. Wiedział, że rekin ten potrafi wyczuć kroplę krwi w zbiorniku wielkości basenu olimpijskiego. A porusza się jak torpeda, przyspieszając do sześćdziesięciu kilometrów na godzinę szybciej niż samochód. Ale co zwabiło ich napastnika? Nikt przecież nie krwawił…

Łódź znów się zatrzęsła. Stało się jasne, że rekin nie odpuści.

– Musieliśmy go czymś rozjuszyć – stwierdził Beck i dodał uspokajająco, żeby James nie spanikował do reszty. – Po prostu trzeba pokazać mu, kto tutaj rządzi. – Powód napaści będą mogli ustalić razem później. – Jeśli rekin zaatakuje, gdy nie ma się do obrony noża ani kuszy, należy uderzyć go we wrażliwe miejsce, na przykład w nos, oczy albo skrzela.

– Dobra. – Farrell przejął dowodzenie. – James, Abby, łapcie za wiosła. Zdzielcie go, kiedy się zbliży.

Nie trzeba było im dwa razy powtarzać. Błyskawicznie podnieśli się i wyciągnęli wiosła z dulek. Stanęli gotowi do uderzenia po obu bokach szalupy i czekali na następny ruch rekina.

Mimo wszystko Beck nie mógł się powstrzymać i zaczął się zastanawiać, co też mogli takiego zrobić, że rekin uznał ich za potencjalny obiad. Czym mogli go sprowokować?

Przypomniał sobie, że drapieżniki te potrafią wykrywać pole elektromagnetyczne i nieregularne drgania. Drobne wibracje mogą przekonać go, że poluje na słabą szamoczącą się ofiarę. Jak na tym filmiku z początku 2013 roku, na którym żarłacz biały zaatakował łódź rybacką u wybrzeży Australii. Ale ona miała napęd motorowy – niewielki silnik przyczepny. Eksperci stwierdzili, że rekina mogły zwabić impulsy elektryczne. Do tego rybacy okazali się kretynami, który świadomie drażnili zwierzę.

Nadal nie przychodził mu do głowy żaden powód, dla którego rekin miałby uwziąć się na szalupę. Może to przez jasny kolor, który jego malutkiemu mózgowi kojarzył się z rybimi łuskami. Może to biała farba go przyciągała?

– Tam! – krzyk Abby wyrwał Becka z zamyślenia.

Płetwa grzbietowa wynurzyła się tuż obok nich. Kobieta próbowała wziąć zamach i straciła równowagę. Farrell złapał ją, a potem rzucił się za wiosłem, zanim wypadło za burtę.

– Mamo!

– Jest zaskakująco ciężkie – powiedziała synowi przez zaciśnięte zęby.

– Zamiast unosić wiosło, trzeba mocno dziabnąć – zasugerował Beck. – Wystarczy oprzeć wiosło o burtę i wyobrazić sobie, że to ogromny kij bilardowy.

Potem zamilkł, usiłując dopasować przelotny widok rekina do zapamiętanych informacji, by ustalić, z jakim gatunkiem mają do czynienia. Grzbiet był lśniący i ciemnoszary tak samo jak u żarłacza białego, jednego z największych rekinów drapieżnych na świecie. Tyle że ciało ludojada jest dość masywne, krępe, a ten osobnik miał kształt raczej smukły i opływowy. Poza tym płetwa grzbietowa żarłacza białego jest wysoka i postrzępiona, a ta była gładka. Beck był całkiem pewny, że spotkali krewniaka jego znajomego z Kolumbii – żarłacza tygrysiego. Przypomniał sobie od razu, że oba gatunki rzadko polują na człowieka.

Omiótł wzrokiem wodę, zastanawiając się, na co stać tego drapieżnika. Łódź była dość solidna, więc wątpił, żeby mógł wygryźć w niej dziurę. W pojedynkę raczej nie dałby rady jej też wywrócić. Ale gdyby przyprowadził dwóch czy trzech kolegów... Beck widział raz stado rozszalałych rekinów w porze karmienia – kiedy rzuciły się na jedzenie, ocean zakotłował się w nawałnicy szczęk i ostrych zębów, które mogły się przegryźć przez łódź. Uznał, że nie ma na co czekać. Muszą przekonać tę wielką rybę, żeby czym prędzej się wyniosła gdzie indziej.

– Tam! – zawołał Farrell.

Rekin powrócił. Tym razem, niestety, płynął prosto na dziób. James i Abby byli na środku łodzi i nie mogli odwrócić wioseł, żeby go dosięgnąć. Wtem zanurkował, a płetwa zniknęła. Szalupa znów się zatrzęsła, słychać też było, jak coś się rozdziera. W brezencie pojawiła się szczelina, przez którą zaraz trysnęła woda.

– Atakuje plandekę! – krzyknął Beck.

A więc to o nią mu chodziło. Najwyraźniej coś łopotało pod wodą, może poluzowany koniec brezentu, który rekin mógł uznać za zdychającą rybę. Próbował złapać ją w szczęki, ale za każdym razem zderzał się z czymś twardym i ciężkim.

To jeszcze bardziej go rozjuszało i w końcu zaczął wyładowywać złość na łodzi.

Po kolejnym ataku brezent zerwał się zupełnie; zniknął za burtą, zanim Beck zdążył się za nim rzucić. Woda, która zaczęła się wlewać przez szczelinę, w kilka sekund sięgnęła jego stóp. Zaledwie kilka metrów rekin dalej miotał się wściekle. Najwyraźniej plandeka utknęła mu w zębach i próbował się od niej uwolnić. Beck zarejestrował to tylko częścią mózgu. Skupił się na gorączkowym wygarnianiu wody metalowym pudełkiem. Nie miał szans. Wzbierała zbyt szybko.

Tymczasem żarłacz w końcu się wyswobodził. I sunął prosto na nich, tnąc płetwą wodę.

James oparł wiosło o okrężnicę, przymierzył się i uderzył czubkiem pióra.

– Dostał! – zakrzyknął radośnie. – Prosto w nochala!

Napastnik zawrócił i zniknął pod wodą. Porządny prztyczek w nos od Jamesa oraz szarpanina z nieapetycznym brezentem musiały sprawić, że stracił zainteresowanie łupem – dziwną, wielką, białą rybą, którą niemal się udławił.

Niestety, zwycięstwo było tylko pozorne.

– Opuszczamy łódź. Niech wszyscy założą kamizelki – zarządził Farrell. – Beck, ty też.

– Ale… – zaoponował chłopak, choć wiedział, że kapitan ma rację. Szalupa była nie do uratowania. Tylko że on nie znosił się poddawać. A jeszcze bardziej nie znosił pływać w oceanie pełnym drapieżników.

Tak naprawdę to nie oni zostawiali łódź, to ona ich porzucała. Kiedy dziób się zanurzył, zawładnęła nią woda. Beck rozglądał się za płetwami. Abby i James wbili wzrok w szybko tonący pokład – jakby w każdej chwili rekin mógł wyskoczyć spomiędzy ich kolan. Z twarzy Farrella nie dało się nic wyczytać.

Przez kilka chwil siłowali się z kamizelkami i paskami. Beck wymacał ustnik na końcu zwisającej rurki i zaczął dmuchać. Czuł, jak kamizelka stopniowo pęcznieje, jak gładki plastik staje się sztywny niczym lśniąca żółta zbroja. Kątem oka dostrzegł coś srebrnego.

– James, łap wodę! – warknął.

Chłopak szybko pochwycił worek. Farrell wyłowił apteczkę. Beck rozejrzał się jeszcze raz za czymś – czymkolwiek – co mogło się przydać. Jeśli nie przygotowałeś planu na wypadek sytuacji kryzysowej, bierzesz to, co masz pod ręką. Później zastanowisz się, co do czego wykorzystać. Żałował, że nie przewidział tej katastrofy, bo inaczej zabrałby kilka rzeczy ze statku – ale myślenie życzeniowe prowadzi donikąd, więc przestał się nad tym głowić. Sięgnął po kawałek bandaża, który zwijał się i skręcał na wodzie, mocno obwiązując go na ramieniu.

Nagle Beck poczuł, że kamizelka zaczyna robić swoje, a jej paski przejęły jego ciężar. Nie stał już na pokładzie, tylko unosił się z głową raptem kilka centymetrów nad wodą. Gdy znajdowali się w strefie przyboju wokół wyspy, woda była przyjemnie ciepła. Teraz w jego ciało – nogi, uda, talię, pierś – wżerał się przenikliwy chłód.

Dziób przechylał się coraz bardziej. W końcu łódź zawisła pionowo i nad falami kiwała się sama rufa. Raptem przestała tonąć. Pod ławką sternika znajdowała się hermetyczna beczka wyporowa, która pozwalała szalupie utrzymać się na powierzchni i dopóki była szczelna, zapewniała jej niezatapialność.

To była jedyna dobra wiadomość.

Poza tym znajdowali się z dala od czegokolwiek, bez sprawnej łodzi nie mieli jak dotrzeć na Wyspę Alfa ani na kontynent, a gdzieś w pobliżu krążył wygłodniały rekin.

ROZDZIAŁ 31

Beck próbował opanować panikę. Jeszcze nigdy nie był w takich tarapatach. Owszem, nieraz znajdował się osamotniony w trudnej sytuacji, ale zawsze na lądzie, gdzie mógł znaleźć coś, co mogło go utrzymać przy życiu. Pożywienie, nawet jeśli tylko owady. Wodę, nawet jeśli był to jego własny mocz. Zawsze też była nadzieja na ratunek albo możliwość dotarcia w bezpieczne miejsce.

Tutaj nie miał niczego – jedynie wywróconą, w połowie zatopioną szalupę i ocean pełen wygłodniałych drapieżników. Zdawał sobie sprawę z powagi sytuacji. Wiedział, że z dala od stałego lądu, pozbawieni schronienia, usmażą się żywcem, gdy słońce wzejdzie wyżej, o ile wcześniej nie dobiorą się do nich rekiny. Już po nich.

Ogarnięty rozpaczą zacisnął mocno powieki...

Nagle jednak usłyszał coś jakby szept w głowie. „Nigdy się nie poddawaj, Beck...". Dwie ludzkie postacie ruszały się przez chwilę wśród roztańczonych kształtów pod zamkniętymi powiekami. Od razu je poznał.

Był małym chłopcem i płakał, bo się przewrócił i rozbił kolano. „Nigdy się nie poddawaj". Wlókł się na chwiejnych nogach przez Dartmoor[7], zziębnięty i przemoczony do suchej nitki. Miał ochotę dać za wygraną, po prostu położyć się i zasnąć. „Nigdy się nie poddawaj". To była ich życiowa dewiza.

Beck otworzył oczy i postacie zniknęły. Ale ich wspomnienie pozostało.

– Nie umrę, mamo... Nie umrę, tato – wymamrotał. Minęło zaledwie kilka sekund. – Dobra – powiedział głośno, zbierając myśli. Priorytety: w miarę możliwości jak najmniej pozostawać

---

[7] Wrzosowisko z kilkusetmetrowymi wzniesieniami na Półwyspie Kornwalijskim w południowo-zachodniej Anglii.

w wodzie. Obronić się przed rekinami. Oszczędzać wodę i pożywienie.

Pierwszy priorytet był dość łatwy do osiągnięcia.

– Będziemy zmieniać się na łodzi. Co godzinę. Może, yyy, kolejność alfabetyczna? To chyba pani będzie pierwsza – powiedział do Abby.

– Ty drugi, a ja ostatni! – zaprotestował James.

Beck łypnął na niego spode łba.

– Dobra – rzucił z drwiną. – To może według wieku? Wtedy to ja będę ostatni!

– Starczy! – Farrell przejął dowodzenie. – Będziemy się zmieniać zgodnie z ruchem wskazówek zegara w kolejności, w jakiej jesteśmy teraz, czyli James, Beck, Abby i na końcu ja. James, podsadzimy cię...

Jamesowi nie trzeba było dwa razy powtarzać. Popychany przez pozostałych, chlapiąc i kopiąc, wdrapał się na wąskie podwyższenie stworzone przez wystającą nad wodę rufę. Balansował chwiejnie jakieś dwa centymetry nad powierzchnią. Beck pomyślał, że James nie miałby zbyt dużych szans, gdyby rekin postanowił staranować szalupę. Wychodząc z wody, można było jednak uniknąć chłodu. Pozostali trzymali się lin sztormowych po bokach łodzi.

– Masz, weź to. – Farrell podał Jamesowi pojemniki i wodę.

– Hej – odezwał się James – wciąż możemy wytworzyć wodę, tak jak na wyspie! – Wydawał się tak z siebie zadowolony, że Beck zdobył się na dyskretny uśmiech. Nie on jedyny nie zamierzał się poddać.

– I jeszcze to… – Beck przyciągnął wiosło, które unosiło się niedaleko, i podał je Jamesowi. – Osoba na łodzi musi mieć oko na rekiny i nas bronić. Widzisz coś?

James rozejrzał się szybko po ich ograniczonym horyzoncie, zataczając pełen krąg.

– Żadnych płetw. Przynajmniej na tę chwilę.

– No dobra, a co dalej? – zapytała Abby.

Beck pomyślał chwilę, a potem zaczął odwiązywać kawałek bandaża z ramienia.

– Rekiny nie lubią dużych grup – wolą wyłapywać pojedyncze osobniki. Będziemy więc trzymać się w kupie. Dopilnuję tego…

Zajęło mu to kilka minut, ale zdołał przeciągnąć bandaż przez paski wszystkich kamizelek ratunkowych.

– Dzięki temu – tłumaczył, zawiązując ostatni węzeł u kamizelki kapitana – możemy odpoczywać i nikt nie odpłynie.

– A co z rekinami? – przypomniała mu Abby.

– No tak. Poruszajcie się tylko w razie potrzeby. A jeśli już, to wolno. Starajcie się jak najmniej chlapać, a zwłaszcza nie wierzgajcie za bardzo nogami. – Powiedział to, patrząc z ukosa na Jamesa, który młócił nimi wodę przy wdrapywaniu się na szalupę. – Postarajcie się, żeby rekin nie wziął nas za ranne zwierzę.

Beck znów się zamyślił. Jego doświadczenia z rekinami nie zawsze były złe. Nurkował z nimi w Morzu Czerwonym. Kiedy nie próbowały cię pożreć, były wspaniałymi stworzeniami – gibkimi i wdzięcznymi, błyskawicznie zmieniającymi kierunek najmniejszymi ruchami płetw niczym leniwe torpedy. Najedzone i nieprowokowane były niegroźne. Owszem, ich przewodnik miał przy sobie kuszę, ale jego zadanie polegało na obserwowaniu sytuacji i wykrywaniu tych osobników, które mogły się rozzuchwalić. To on poinstruował Becka, na co powinien zwracać uwagę. Teraz mógł przekazać tę wiedzę swoim towarzyszom:

– To, że widzicie płetwę, nie znaczy jeszcze, że rekin zaatakuje. Jeśli po prostu sunie wolno i spokojnie, to znaczy, że nie ma złych zamiarów. Może jest ciekawy. Jeśli przyspieszy, skręcając to w jedną, to w drugą, to znaczy, że coś go rozjuszyło. Atakuje dopiero, gdy wygnie grzbiet, uniesie głowę i zacznie płynąć zygzakiem. W takim wypadku ten, kto stoi na łodzi, będzie gotowy, żeby go odpędzić. Jasne, James?

Chłopak był blady, ale chwycił wiosło w obie ręce i wziął się w garść.

– Jasne. Dzięki.

– Super. Dalej... – Beck spojrzał na Abby i nie mógł powstrzymać uśmiechu. – Chce pani dobrą czy złą wiadomość?

Przymrużyła oczy, wyraźnie zastanawiając się, co też mogło go rozśmieszyć w takiej sytuacji.

– Spróbujmy dobrą.

– Rekiny widzą w czerni i bieli, co pozwala im wyraźnie rozróżniać kształty. Jest taki jeden wyjątkowo jadowity wąż morski w czarno-białe pasy. To odstrasza rekiny. Wiele innych stworzeń ma te same barwy po to, żeby się pod niego podszyć. W tym czarno-białym stroju, który ma pani na sobie, powinna pani zmylić rekiny, które wezmą panią za jadowitego węża i będą się trzymały z daleka.

James roześmiał się, nawet Farrell stłumił uśmiech. Mina Abby zrobiła się chłodna.

– Bardzo pocieszające. A zła wiadomość?

– Musi pani zdjąć pierścionek. Ja też zdejmę zegarek. – Odpiął zapięcie na nadgarstku. – Takie rzeczy jak biżuteria błyszczą się i odbijają światło, co rekin może wziąć za rybie łuski.

Wsadził rękę pod wodę i wymacał kieszeń, w której wcześniej schował srebrny pierścień Jamesa. Pociągnął za zamek i wsunął zegarek do środka.

Abby uniosła rękę i przyjrzała się pierścionkowi. Wydawała się bardzo sceptyczna.

– No nie wiem, Beck. Jest bardzo cenny. Nie chcę, żeby wypadł z kieszeni.

– Mamo! – zdenerwował się James. – Nie kłóć się, tylko to zrób! Chyba że chcesz przez cały czas trzymać rękę nad wodą?

Spojrzała na niego wilkiem.

– Mam kieszeń z zamkiem – zapewnił ją Beck. – U mnie będzie bezpieczny.

Ku jego zdziwieniu, to też jej nie przekonało. W końcu jednak przemyślała sprawę i zdjęła obrączkę z palca.

– To nie będzie konieczne. – Wsunęła ją do jednej z kieszeni przy kamizelce ratunkowej i zapięła zamek. – Zadowolony?

Beckowi nawet nie chciało się odpowiadać. Nadal nie mógł uwierzyć, że można było się zawahać przed zdjęciem biżuterii, jeśli dawało to większe szanse na przeżycie nie tylko jej, ale im wszystkim. Ale to już problem Abby.

– Dobra. Słońce będzie ostro prażyło. Osoba na łodzi może zdjąć kamizelkę i założyć ją sobie na głowę jak kapelusz. Pozostali będą musieli w miarę możliwości skryć się w jej cieniu. Kapitanie, znów będziemy potrzebowali pańskiej koszuli. Zrobimy kolejny destylator. Umieścimy go na łodzi z Jamesem.

Farrell żartobliwie przewrócił oczami i skinął głową.

– No i… – To było kluczowe pytanie, którego Beck celowo wcześniej nie zadawał na głos. Wszyscy jednak zasługiwali na to, by poznać odpowiedź. – Czy dalej będą nas szukać?

– Tak – odparł kapitan. – Kiedy ekipa ratownicza nie znajdzie nas na planowanej trasie, poszerzą obszar poszukiwań. Znajdą nas… przy odrobinie szczęścia. Wszystko zależy od tego, ile mają łodzi i samolotów. Im więcej, tym szybciej.

W jego głosie słychać było nadzieję, ale Beck zauważył, że gdy skończył mówić, na chwilę przygryzł wargę. Czy Farrell był tak przekonany do swoich słów, jak to okazywał? Czy też, jak na dobrego kapitana przystało, starał się jedynie podtrzymać morale?

Beck dał temu spokój, bo nikomu by to nie wyszło na dobre, gdyby zapytał: „Sam pan w to nie wierzy, prawda?".

– Super – powiedział zamiast tego. – Dobra, mam jeszcze flarę. – Poklepał się po kieszeni, żeby to potwierdzić i poczuł tam cienką, metalową rurkę. – A pani ma swoją? – zapytał Abby. Potaknęła. – Będziemy się rozglądać i w razie potrzeby je odpalimy. Ale tylko wtedy, gdy ktoś znajdzie się na tyle blisko, żeby nas zauważyć.

Beck miał jeszcze inny powód, żeby zapytać o ratunek. I znów chodziło mu o rekiny. One częściej atakowały w nocy. Ale zachował to dla siebie. Nie było sensu ich martwić. Musieli się skupić na czekającym ich dniu. Powie im o nocnych atakach, jeśli nadal tu będą o zachodzie słońca.

ROZDZIAŁ 32

Czas płynął bardzo powoli. Ich mała grupka stłoczyła się w cieniu Jamesa, jak najmniej ruszając się i odzywając. Nie mieli sobie za wiele do powiedzenia, a musieli oszczędzać siły.

Godzina Jamesa w końcu minęła i przyszła pora, żeby to Beck wszedł na łódź. Słońce było już wysoko na niebie. Mała platforma na rufie była sucha i ciepła w dotyku. James wydawał się niemal szczęśliwy, że morze się zanurzyć. W oceanie było chłodniej.

Beck rozglądał się ponuro z podwyższenia. Woda, woda i jeszcze więcej wody. Żadnych płetw – czyli dobrze. Ale i żadnych statków – czyli źle. Spojrzał w górę.

Na niebie ciągnęła się smuga samolotu, rysując za nim linię czystej bieli. Uśmiechnął się gorzko. To samo było przed dwudziestoma czteroma godzinami, pierwszego dnia po zatonięciu statku. Gdyby tylko choć jeden samolot leciał niżej – parę kilometrów niżej, powiedzmy – byłaby szansa, że zostaną zauważeni…

Jego palce bezwiednie skubały łuszczącą się farbę z szalupy. Ot, tak, dla zabicia czasu. Choć o tym nie wiedział, odkrył większą część litery „O".

Znów spojrzał do góry i przymrużył oczy. Nadal tam była. Smugi kondensacyjne zazwyczaj po kilku minutach robią się postrzępione po bokach; po niespełna godzinie znikają zupełnie albo zostawiają po sobie jedynie ledwo widoczną białą kreseczkę. Ta tutaj wciąż była wyraźnie zarysowana.

I pozostała taka przez większość wyznaczonego czasu Becka na łodzi. Co raz spoglądał w górę, żeby się upewnić. To mogło oznaczać tylko jedno – niskie ciśnienie. Zapowiedź nadciągającej burzy. Czy był to ten sam huragan, który zauważył na radarze meteorologicznym? Czy zwykły – *zwykły!* – sztorm?

W obu przypadkach nie wróżyło to nic dobrego dla ich grupki rozbitków. Odstraszy to jednak rekiny… Być może.

Celowo spuścił wzrok, próbując zapomnieć o charakterystycznie wyglądającej chmurze. Nic nie mógł poradzić. Jeśli burza nadejdzie, trudno. Będą musieli zrobić wszystko, co w ich mocy, żeby jakoś ją przetrwać.

Palce Becka wciąż skubały farbę. Po „O" było coś, co wyglądało jak pierwsza część „S". Przed nimi znalazł połówkę „M".

Nagle wytrzeszczył oczy i wbił wzrok w litery. Nie! To niemożliwe!

Ale nie mógł tak tego zostawić. Skrobał mocniej, zrywając paznokciami całe płaty farby. I po chwili nie było już wątpliwości. Pod farbą krył się napis: L.U.M.O.S.

– Lumos… – odczytał półgłosem.

Abby gwałtownie poderwała wzrok.

– Co Lumos?

Beck umilkł, a potem westchnął.

– Nic. Ta łódź należała do Lumosu. I tyle.

To nie powinno go dziwić. Steven pracował dla tej korporacji i to on zaprosił go na statek. Nie powinno więc być niespodzianką, że statek też był jej własnością.

Beck przekrzywił głowę i spojrzał w zamyśleniu na litery. Po raz pierwszy widział taką pisownię tej nazwy, z kropkami rozdzielającymi litery. To oznaczało, że nie była to jedynie nazwa – to był skrót. Tego nie wiedział. Zastanawiał się, co mógł oznaczać.

– Lubimy Urynę... – wymamrotał, ale nie miał pomysłu na rozszyfrowanie ostatnich trzech liter.

I nagle go poraziło, jakby ktoś oblał go lodowatą wodą.

– Beck...? – zaniepokoił się Farrell, kiedy głośno wciągnął powietrze.

Mózg podpowiedział mu nowe skojarzenie. Skąd się ono wzięło? Może stąd, że pierwsze litery, które odkrył, to „M.O.S.".

Gorączkowo otworzył kieszeń i wyciągnął pierścień Jamesa. Przekrzywił go, żeby odczytać słowa wygrawerowane od wewnątrz.

MĄDROŚĆ, OPANOWANIE, SUKCES, LOGIKA, UMIEJĘTNOŚCI.

W tej kolejności przeczytał je, gdy widział je po raz pierwszy. Były jednak wygrawerowane naokoło. Każdy wyraz mógł być tym pierwszym. Na przykład, jeśli by zacząć od LOGIKI…

LOGIKA, UMIEJĘTNOŚCI, MĄDROŚĆ, OPANOWANIE, SUKCES.

L.U.M.O.S.

Opadła mu szczęka. Spojrzał na Jamesa. Ich oczy na chwilę się spotkały, a potem James pobladł i odwrócił wzrok.

– Po… powiedziałeś, że dziadek założył rodzinną firmę – wydukał Beck. – Ta firma… to Lumos?

– Tak! – wypalił James. – Lumos. Wszystko przez Lumos. Nie, wróć! Wszystko przez Becka Grangera. Wszystko przez ciebie.

ROZDZIAŁ 33

James zamilkł, choć pierś mu falowała, a w oczach stanęły łzy. Abby spojrzała na niego z czułością.

– James, skarbie, wiedziałeś, że ta chwila nadejdzie. Nie spraw teraz mamie zawodu.

– Zawodu? – wysapał chłopiec. – Mamo, to ty nas w to wpakowałaś, a on robi wszystko, żeby nas z tego wyciągnąć! Nie rozumiesz?

Abby jedynie przewróciła oczami i odwróciła wzrok, jak matka zniesmaczona grymasami krnąbrnego niemowlaka.

– Abby, co, do ch… co to ma znaczyć? – oburzył się Farrell.

– Powiesz mu? – James zapytał matki.

– Teraz to i tak bez różnicy – powiedziała cicho. A potem, już bardziej gawędziarskim tonem, dodała: – Tak, Beck, Lumos to nasza firma rodzinna. Założył ją mój ojciec, Edwin Blake. Pracowałam dla niego od dziecka. Nauczył mnie wszystkiego, co umiał. A ostatnio szkoliłam Jamesa, żeby pracował ze mną i żeby pewnego dnia zajął moje miejsce. Ten rejs był częścią jego stażu. Zajmuję się „sprzątaniem".

– Sp... sprzątaniem? – powtórzył Beck z niedowierzaniem. Nie potrafił za bardzo wyobrazić sobie Abby w stroju sprzątaczki, pchającej po biurze wózek ze środkami czystości.

– Sprząta problemy firmy – wyjaśnił James półgębkiem.

– Jakie problemy?

– Problemy – odparła Abby pogodnie, a potem jej głos się zmienił i jej twarz przybrała złowieszczy wygląd. – Problemy takie jak Beck Granger, najbardziej wkurzający, szkodliwy i wścibski smarkacz, jakiego ta ziemia widziała. Problemy, które uparcie cały czas mieszają się w nasze sprawy. Albo problemy takie jak rodzice Becka Grangera, od których się to wszystko zaczęło. Myśleliśmy, że problemy się skończą wraz z nimi. I faktycznie, przez kilka lat był spokój. – Urwała. – Dopóki Beck nie podrósł. Wtedy problemy zaczęły się na nowo. Za każdym razem, gdy przytrafiają się nam kosztowne komplikacje, tata zapamiętuje sobie winnego. Jeden raz można wybaczyć. W końcu nikt nie jest doskonały. Ale jeśli to samo nazwisko pojawia się raz, drugi, trzeci… Przez ciebie, Beck, straciliśmy rafinerię naftową i kopalnię uranu, a kilkoro ludzi o przydatnych umiejętnościach, których lubiliśmy czasem zatrudniać, trafiło za kratki. Stałeś się problemem. Rozumiesz, co mówię?

Beckowi odebrało mowę. Czuł, że gdzieś w głębi wzbiera w nim energia, zaczyna rozpierać go, gotowa za chwilę wybuchnąć, i… no i co zrobi? Rzuci się na nią? Wepchnie jej głowę pod wodę, aż się utopi?

Marzył o tej chwili, odkąd dowiedział się, że jego rodzice zostali zamordowani. Marzył, że wytropi i policzy się z zabójcami. Że obróci ich w drżącą, bezradną miazgę. Że odetnie im wszystkie drogi ucieczki, zapędzi w róg, żeby nie mieli innego wyjścia, jak się z nim zmierzyć, a wtedy ich zniszczy. Tym czy innym sposobem.

W rzeczywistości wiedział jednak, że oddałby ich w ręce organów sprawiedliwości. Zemsta jest dobra na filmach, ale w praktyce sprawdza się słabo. Gdyby zabił morderców rodziców, tylko zniżyłby się do ich poziomu. O wiele lepiej było ich wysłać dożywotnio za kratki, aby co dzień aż do śmierci pamiętali, że przegrali, i że on wciąż ma się dobrze.

Rozgrywał to w głowie na wiele sposobów, ale w ogóle nie przewidział scenariusza takiego jak ten.

– Ale – odezwał się – skoro to wszystko po to, żeby się mnie pozbyć, to wasz plan był bezsensownie przekombinowany. Znaczy, przecież codziennie chodzę do szkoły. Mogliście upozorować wypadek. Mógł mnie potrącić samochód nieznanego sprawcy. Albo mogliście… mogliście spalić mi dom! Po co było organizować rejs?

Abby pokręciła głową.

– To musiało tak wyglądać – stwierdziła stanowczo. – To musiała być jedna z twoich przygód. Musiałeś zginąć tak, żeby ludzie widzieli, żebyśmy mogli odstraszyć następnych Becków Grangerów.

Farrell, w odróżnieniu od Becka, przyjął te rewelacje zdecydowanie mniej spokojnie:

– Kobieto, ty chyba nie mówisz poważnie! – wybuchnął. – Beck... Beck jest jeszcze dzieckiem!

Abby spojrzała na niego chłodno.

– Pomyśleć tylko, ile szkód może narobić jako dorosły. PR mamy już dopięty. W świat pójdzie starannie rozplanowana seria informacji prasowych, które będziemy publikować przez następne kilka miesięcy po jego tragicznej śmierci. Pokażemy, że wielki Beck Granger był zwykłym rozpieszczonym bachorem, który wykorzystał swoją gwiazdorską pozycję, żeby popłynąć „Morskim Obłokiem", i choć ostrzegaliśmy go, że to niebezpieczne, uparł się i sterroryzował słabego, żałosnego, skompromitowanego kapitana, żeby postawić na swoim...

Mina Farrella świadczyła o tym, że powoli zaczynało docierać do niego to, co Beck pojął w lot, gdy tylko dowiedział się prawdy o działalności Abby. Nie wiedzieć jak, ale to ona odpowiadała za sabotaż. A kapitan nie miał skrupułów Becka i palił się do zemsty. Puścił szalupę jedną ręką, potem drugą. Odwrócił się do niej i powiedział, niemal gawędziarsko:

– Urwę ci łeb, paniusiu, i…

– I nic – rzucił ostro James. To był rozkaz. Może i miał kupę wątpliwości, ale jednego był pewien: nikt nie skrzywdzi jego matki. – Nas jest dwoje, kapitanie, i mimo że jest pan od nas większy, my mamy… – Zdawało się, że szuka odpowiedniego słowa.

– „Umiejętności" to słowo, którego szuka – dokończyła za niego Abby. Jej wesoły, swobodny ton zmienił się w coś zimnego jak lód i twardego jak stal. – To się nazywa samoobrona. Nie wdając się w szczegóły, powiem tylko, że żaden mężczyzna, który mnie zaatakuje, nie ujdzie z życiem.

Farrell ustąpił powoli, bardzo powoli.

– No więc, o czym to ja? Ach, tak, plan. – Gawędziarskie oblicze Abby powróciło tyleż nagle, co niespodziewanie. – Zanim domkniemy nową narrację o tobie, Beck, twoja śmierć przestanie się wydawać tragiczna. Już prędzej: krzyżyk na drogę. Ludzie powiedzą, że sam się o to prosiłeś. A twojego kochanego wujka obsmarujemy w podobny sposób... Postaramy się, żeby ludzie zadawali sobie pytanie, czemu pozwalał nastolatkowi pakować się w tak niebezpieczne sytuacje... I tak dalej, i tak dalej. Jego też zniszczymy. Krótko mówiąc, pełne zwycięstwo na całej linii...

Beck wybuchnął śmiechem. Nie mógł się powstrzymać. Strach. Gniew. Nerwy. Szok.

Tym razem to Abby patrzyła na niego jak cielę na malowane wrota.

– Co cię tak śmieszy?

– Lumos! – wydusił z siebie Beck, trzęsąc się ze śmiechu. – Lumos znów dał plamę. Zwyczajnie nie potraficie zrobić tego, jak trzeba. Nie wiem, jaki był plan, ale założę się, że nie zakładał, że wylądujecie tu z nami. Powiedzieć ci, jak to możliwe, że ciągle udaremniam te wasze nikczemne plany? Bo zawsze są takie durne! Mówisz, że straciliście przeze mnie kopalnię uranu? Nie, to wasza wina! Najpierw poskąpiliście pieniędzy, żeby zabezpieczyć zbiorniki. Potem najęliście partaczy, żeby spróbowali mnie zabić. Byle tylko zaoszczędzić, co? Moglibyście wydać trochę więcej i wszyscy byliby zadowoleni, łącznie z wami. Moglibyście wykorzystać całą swoją technologię, żeby pomóc ludziom, a przy okazji zbić fortunę… Ale nie. Nie, nie, nie. Ciągle wam mało. Więc oszczędzacie, na czym się da, i wszystko bierze w łeb.

– Zamknij się, ty smarkaty gnojku. Nic nie wiesz o prowadzeniu biznesu.

– No dalej. – Beck zachęcił ją machnięciem ręki. Na jej gniewne spojrzenie odpowiedział najszerszym, najprzyjaźniejszym uśmiechem, na jaki było go stać. – Słucham. Co miało się stać i co poszło nie tak?

ROZDZIAŁ 34

Abby nadal piorunowała go wzrokiem. Opinia Becka o Lumosie i tak nie mogła być gorsza, a temu, że plan się nie powiódł, nie sposób było zaprzeczyć. W tym starciu to chłopak był górą, i to pod wieloma względami.

– Powiem ci wszystko, Beck, bo to już nie ma znaczenia. I tak niedługo umrzesz. – Spojrzała na niego. – Zatrudniłam Stevena Holbrooka. O niczym nie wiedział, oczywiście. I wykorzystałam jego znajomość z twoim wujem, żeby ściągnąć cię na ten rejs. Tak, to był stary statek Lumosu. Wiele lat temu służył jako prywatny jacht dla dyrekcji.

Beck pomyślał, że to wyjaśniało jego kiepską kondycję. Stary statek, odnowiony minimalnym kosztem – typowe.

– I cała załoga to byli twoi ludzie?

– Nie cała – warknął Farrell. Nie przestawał patrzeć wilkiem na Abby. Gdyby ludzkie oczy były laserami, głowa kobiety już dawno by eksplodowała.

– Nie, nie cała. Potrzebowaliśmy kapitana z prawdziwego zdarzenia, zatrudniliśmy więc doświadczonego marynarza bez grosza przy duszy. Nie mógł znaleźć pracy, bo stracił ostatni statek w tajfunie, lekceważąc komunikaty pogodowe. Gdy zaproponowałam mu pracę, oczywiście ochoczo skorzystał z okazji, nie zadając zbędnych pytań.

Oczy Farrella zwęziły się w cieniutkie szczeliny pełne nienawiści i gniewu. Wycedził przez zaciśnięte zęby:

– A to, że straciłem poprzedni statek przez niedbałość, a teraz dowodziłem tym, tylko dodałoby wiarygodności całej historii, kiedy trafiłaby do mediów, zgadza się?

– Wiadomo. A ja popłynęłam z wami, bo – cóż, wierz albo nie, Beck, ale miałeś rację z tym zatrudnianiem partaczy. To głównie przez to nie powiodło się nasze przedsięwzięcie w Australii. Zawsze uważałam, że jeśli chcesz zrobić coś dobrze, musisz to zrobić sam. Chciałam dopilnować tego osobiście. Kiedy byliśmy na mostku, wpuściłam wirusa do systemu komputerowego…

– Jak? – chciał wiedzieć Farrell.

– To… – odezwał się James, ale matka mu przerwała.

– Och, panie kapitanie, kobieta ma prawo do kilku tajemnic.

– Czemu nie opuściliście statku razem z załogą? – zapytał Beck. – Czemu nadal tam byliście, kiedy wybuchła bomba?

Abby zamilkła i się skrzywiła. Beck zastanawiał się, czy to wtedy plan zaczął się sypać.

– Mieliśmy odpalić ją zdalnie z szalupy, kiedy już byśmy ją spuścili i odpłynęli. Wszystko zepsuł Steven… Ach, kochany Steven. Nie rozumiał, nic nie rozumiał. Stanął nam na drodze. Domyślił się, że coś się święci. Myszkował po statku i zorientował się, że za zamkniętymi drzwiami nie ma żadnych luksusowych pomieszczeń dla pasażerów. Podejrzewam, że chciał poruszyć tę sprawę rano, tyle że wpadł na nas po drodze do szalupy i podsłuchał... No, nieważne, co podsłuchał, ale zrozumiał, że to go przerasta. Ale i tak próbował nas powstrzymać. Doszło do... szarpaniny, powiedzmy. James i ja byliśmy zmuszeni wykorzystać umiejętności, o których mój syn przed chwilą tak przezornie wspomniał. Niestety Steven zdążył chwycić pilota... i wtedy bomba wybuchła.

– No i opuściliśmy pokład, a statek zatonął – dodał Farrell. Jeszcze nie do końca rozwarł zaciśniętą szczękę. – A wasi kolesie nie wrócili po was.

Abby wydawała się wyraźnie poirytowana.

– Steven mi przeszkodził i zapomniałam torebki. Miałam w niej telefon. – Beck przypomniał sobie, jak nagle zaczęła się upierać, że musi po nią wrócić, choć statek już niknął pod wodą. – Nie mogli nas namierzyć. I tak utknęliśmy z wami.

– I nagle stało się ważne, żebym przeżył – stwierdził oschle Beck.

– No, w końcu jesteś specem. – Posłała mu wymuszony uśmiech.

Farrell ryknął gniewnie:

– Ty chora, szurnięta, zdradziecka… – Urwał jakby skończyło mu się słownictwo. Zaraz jednak odzyskał rezon. – Mordercza… – Znowu zamilkł. Mina Abby pozostała obojętna. – Mieliśmy potopić się jak szczury, żebyście mogli… mogli… A Steven? Jego też zabiłaś, tak?

– Oczywiście. I podrzuciłam mu ten dokument, żeby upewnić się, że ruszymy na Wyspę Alfa. Na szczęście miałam go przy sobie. Nie zamierzałam gnić na tej parszywej skale, na którą nas wyrzuciło.

Beck wyrzucił ręce w powietrze.

– I znów skucha. Typowy Lumos. Nie udało się i wylądowaliśmy tutaj.

– Mów za siebie – odcięła się Abby. – Ja zaraz się stąd wynoszę.

Wyciągnęła rękę spod wody, trzymając flarę, którą miała w kieszeni. Beck był już gotowy do tego, żeby rzucić się w bok, bo przez chwilę myślał, że zamierzała strzelić nią w niego. Ale nie, podniosła ją nad głowę i wyszarpnęła zawleczkę. Huknęło jak przy wystrzale, a flara poszybowała wysoko w niebo, by wybuchnąć białym płomieniem.

ROZDZIAŁ 35

– Co…? – zaczął Beck.

I wtedy uświadomił sobie, że słyszał łopatki wirnika. Tak naprawdę słyszał je już od jakiegoś czasu. Po prostu opowieść Abby tak bardzo go pochłonęła, że przeoczył śmigłowiec, który ona najwyraźniej dostrzegła na horyzoncie. „Ale z ciebie survivalowiec!" – skarcił się w duchu.

– Lumos na pewno szukał mnie od wczoraj, gdy nie nawiązałam kontaktu. Jestem zbyt cenna dla firmy, żeby pozwolili mi tak łatwo zginąć – wyjaśniła spokojnie Abby. – No i James, oczywiście – dodała po chwili.

Helikopter był ledwie małą kropką na horyzoncie, ale szybko urósł. Kiedy zbliżał się do nich z hukiem, wszystkie oczy były zwrócone na niego i nikt się nie odzywał. Zataczał koła, pozwalając załodze dobrze przyjrzeć się rozbitkom. To był duży model, coś w rodzaju sea kinga, w kolorze jaskrawożółtym.

Mrużąc oczy pod słońce, Beck zdołał zauważyć słowo LUMOS wymalowane na spodzie. Stracił nadzieję. Przez chwilę liczył na to, że to jedna z ekip poszukiwawczo-ratunkowych. A tu figa.

Śmigłowiec zwolnił i zawisł dziesięć metrów nad nimi jak wielka metalowa ważka. Ryk silników zagłuszał wszelkie słowa. Prąd zstępujący wirników spłaszczał wodę wokół nich. Potem z boku śmigłowca wyłoniła się postać mężczyzny zwisającego na wyciągarce. W kasku i nieprzemakalnym skafandrze wyglądał jak szczuplejsza odmiana astronauty. Został opuszczony do nich, kręcąc się wolno, aż dotknął nogami wody. Przywołał gestem Jamesa.

Chłopiec posłał Beckowi i Farrellowi ostatnie spojrzenie. Jego twarz przypominała maskę pośmiertną. Wszystkie ludzkie uczucia zamknął głęboko w środku, gdzieś, gdzie nie będą go już niepokoić.

– Dziękuję, że uratowaliście mi życie – rzucił po prostu.

– Nie każ panu czekać, skarbie – popędziła go Abby.

Zignorował ją.

– Pierścień… – powiedział James. Beck spojrzał na niego tępo. – To z jego pomocą unieruchomiła statek. – Abby spojrzała gniewnie na syna, lecz on odpowiedział jej tym samym. – Daj spokój, mamo, jakie to ma teraz znaczenie? Jest w nim mikrokomputer na Bluetooth. Tak przesłała wirusa. Gdybyście byli ciekawi.

A potem odepchnął się od łodzi i podpłynął szybko do ratownika, który pomógł mu włożyć ręce i ramiona w wielką pętlę zwisającą z końca liny.

Farrell i Beck wymienili spojrzenia. Chłopiec czuł rozdzierającą frustrację, że musi patrzeć bezradnie, jak ratują innych. Ale co mogli zrobić? Nie byli w stanie przejąć helikoptera.

– Panie! – zakrzyknął Farrell. Marne nadzieje, pomyślał Beck, ale warto było spróbować. – Musi nam pan pomóc! Ta kobieta to kryminalistka! Nie może nas pan tu zostawić!

Mężczyzna tylko zerknął na kapitana, a potem podniósł wzrok na zawieszoną w powietrzu maszynę i uniósł kciuk. Obaj z Jamesem zostali gładko poderwani z wody. Nastolatka wciągnięto do kabiny i po kilku sekundach ratownik znów znalazł się na dole. Tym razem podpłynęła do niego Abby.

– Pozdrówcie ode mnie rekiny! – zawołała.

Gdy ją unoszono, na jej twarzy rozciągał się wielki uśmiech.

Beck patrzył z przygnębieniem, jak kobieta znika w kabinie. Obudziły się w nim wszystkie obawy i wątpliwości, które czuł, gdy łódź zatonęła pod nimi. Nigdy się nie poddawaj? Kogo próbował oszukać? Wydarli z oceanu kilka dodatkowych godzin życia, nic więcej.

Woda starczy im teraz na dłużej, skoro zostali tylko we dwóch z Farrellem. Czekał ich jednak długi dzień, a potem, nocą, powrócą rekiny.

Nadciągała burza, która zamieni ocean w kocioł i zaleje ich tysiącami ton wody. Potopią się… o ile wcześniej nie zostaną zjedzeni. A najgorsze było to, że śmigłowiec zamelduje zapewne, że uratował wszystkich ocalałych z „Morskiego Obłoku". Odwołają poszukiwania i nikt się po nich nie zjawi.

Nieoczekiwane łzy zaszczypały go w oczy. Płakał nie tylko nad sobą, lecz także nad Jamesem. Jakie miał szanse, podążając za matką dokoła świata i trzymał jej torebkę, kiedy ona zabijała ludzi?... Jakie miał szanse, by nauczyć się odróżniać dobro od zła?

– Beck? Beck! – Farrell musiał kilka razy zawołać go po imieniu, żeby zwrócić jego uwagę. Beck uświadomił sobie, że helikopter nie odleciał. Nadal unosił się nad nimi. Spojrzał w górę z nagłym przypływem nadziei.

Ratownik znowu się opuszczał – tym razem po nich.

ROZDZIAŁ 36

– To nie do przyjęcia! – usłyszał Beck zaraz po tym, jak znalazł się w kabinie.

Abby wściekała się na faceta obsługującego wciągarkę.

Kabina była prosta i funkcjonalna. James zajął jedno z niewielu miejsc siedzących. Oboje z matką mieli ramiona owinięte srebrnymi kocami termicznymi. Chłopiec mocno otulił się swoim i wpatrywał się w podłogę, usilnie starając się unikać wzroku młodszego kolegi. Beck widział przez drzwi kabiny tył głowy pilota. Mężczyzna wyglądał przez okno, utrzymując helikopter w stabilnym zawisie.

Facet od wciągarki nie zamierzał przepraszać.

– Rozkazy pani ojca, proszę pani. Mieliśmy uratować wszystkich ocalałych.

– Ale…

– Powiedział, że zajmie się nimi osobiście, gdy dotrze na wyspę – uciął protesty, po czym warknął do Becka: – Siadaj tam. – Popchnął go w plecy na tył kabiny, przeznaczony raczej do przewożenia ładunku niż ludzi.

Beck przykucnął na metalowej podłodze, przyciskając kolana do piersi, i patrzył, jak mężczyzna naciskał guziki, by opuścić partnera po kapitana Farrella.

– Osobiście? – Abby zmarszczyła brwi, kładąc ręce na biodrach, a Beck zastanawiał się, czy to, co przez chwilkę zarysowało się na jej twarzy, to strach. Czy jej ojciec był wyrozumiały dla ludzi, którzy nie wypełniali swoich obowiązków? Szedł o zakład, że nie. Nawet dla własnej córki. Może Abby czekało coś więcej niż zwykła reprymenda. Jeśli jednak był to strach, to tylko przelotny. Kobieta posłała Beckowi chłodny uśmiech. – No skoro tak…

Beck zadrżał, i nie dlatego, że nie miał koca termicznego. Cokolwiek czekało ją, on mógł się spodziewać czegoś gorszego.

Farrell został podźwignięty na pokład, a operator wciągarki zasunął drzwi. Krzyknął coś do mikrofonu, a pilot skinął mu głową na potwierdzenie. Podłoga przechyliła się i śmigłowiec ruszył. Beck poczuł, że zatkało mu uszy, gdy unieśli się wyżej, a odgłos silnika przeszedł w głośny, miarowy warkot.

Farrell przykucnął przy Becku. Chłopiec zbliżył usta do ucha kapitana:

– Jej ojciec chce zająć się nami osobiście.

Usta kapitana ściągnęły się w srogą linię.

– Nie, jeśli uduszę go pierwszy!

Lot potrwał prawie godzinę, a oni mogli jedynie siedzieć i czekać. Abby spędziła dużą część tego czasu z telefonem przy uchu, przekazanym jej przez jednego z członków załogi, albo siedząc i rozmawiając z Jamesem. Wyglądała na podekscytowaną, energicznie gestykulując. James wlepił wzrok w podłogę i czasem tylko rzucał pod nosem pojedyncze słowo.

Była to uciążliwa przejażdżka, bo potężny silnik nad nimi wstrząsał całą konstrukcją. Beck siedział na metalowej podłodze, więc drgania przebiegały mu po kręgosłupie. Nie było mu zbyt wygodnie. Mimo to nie mógł nie zauważyć, że z czasem było coraz gorzej. Na początku śmigłowiec jedynie lekko dygotał – przypuszczał, że to przez prądy powietrza – i to raz na kilka minut. Później jednak zdarzało się to częściej, a drgania przybrały na sile.

Abby w końcu wstała i przeszła na tył kabiny. Nagle helikopter zahuśtał się intensywnie, i musiała przytrzymać się sufitu.

– Pięć minut do Wyspy Alfa – poinformowała. Śmigłowiec znów się zatrząsł, prawie jakby w coś uderzył. – Powinniśmy zdążyć tuż przed huraganem.

Beck i Farrell wymienili spojrzenia. W natłoku innych spraw chłopiec zupełnie o tym zapomniał. Abby brzmiała wręcz tak, jakby cieszyła się na tę myśl.

Helikopter przechylił się, ale tym razem zataczał łuk, podchodząc do lądowania. Abby wskazała na boczne okno.

– A oto i ona. Uważnie się przyjrzyjcie.

Beck wyjrzał od niechcenia na zewnątrz, nie aż taki ciekawy wyspy, której być może już nie opuści. Potem spojrzał ponownie, zdziwiony.

Wyspa Alfa wcale nie była wyspą. Była olbrzymią platformą wiertniczą. Z wody wyrastały cztery ogromne, metalowe filary przypominające małe drapacze chmur. Na górze znajdowało się zbiorowisko niezliczonych dźwigarów, ramp i kabin, przylegających do siebie w sposób, który zdawał się przeczyć prawom fizyki. Lądowisko dla helikopterów wyrastało z boku, pięćdziesiąt metrów nad wodą – wielka metalowa płyta oznaczona literą „H".

Dokument, który Abby podrzuciła Stevenowi, wspominał o eksperymentalnych odwiertach hydratu metanu. To najwyraźniej tutaj Lumos się tym zajmował.

– Zaraz! – zaprotestował Beck. – Będziemy na platformie podczas huraganu? To samobójstwo!

– Platformy się ewakuuje, zanim huragan uderzy. A nie na nich zostaje! – poparł go Farrell.

Abby sprezentowała im kolejny ze swoich chłodnych uśmiechów.

– Spokojnie, chłopcy. To najnowocześniejsza, najbardziej zaawansowana technicznie platforma wiertnicza na świecie. Jedyna w swoim rodzaju. Dopuszczona do użytku przy warunkach pogodowych o wiele gorszych od huraganu. Nawet go nie poczujemy.

Beck jeszcze raz przyjrzał się platformie. Wyglądała całkiem solidnie, wiedział jednak, że to nie miało żadnego znaczenia w przypadku czegoś, co unosiło się na wodzie podczas huraganu. Miał też bardzo niewiele zaufania do Lumosu i pieniędzy, które byli zapewne skłonni wydać na budowę. Jego wzrok zatrzymał się na szeregu jaskrawopomarańczowych kapsuł ratunkowych na dole platformy. Rokowały większe nadzieje niż szalupa z „Morskiego Obłoku". Były to hermetyczne, plastikowe powłoki, osłonięte ze wszystkich stron. Odporne na warunki atmosferyczne i prawie niezatapialne. Gdyby tylko udało im się dostać do jednej z nich…

Kapsuły zniknęły mu z oczu, gdy helikopter odwrócił się przodem do platformy, przygotowując się do końcowej fazy podejścia. Silnik zaryczał głośniej, gdy śmigłowiec przechylił się i zwolnił, a potem usiadł na metalowej płycie lądowiska.

Operator wciągarki rozsunął drzwi. Ciepłe powietrze wdarło się do środka z taką siłą, że prawie zwaliło Becka z nóg. Było takie wilgotne i parne, jakby oddychał pod wodą. Skłębione chmury, ciemne jak całun pogrzebowy, wisiały nisko nad platformą; miało się wrażenie, że wystarczyło wyciągnąć rękę, żeby je dotknąć. Huragan rzeczywiście był blisko.

Abby i James wyskoczyli ze śmigłowca i umknęli. Beck zszedł wolniej i się rozejrzał. Platforma była mocną, metalową kratownicą wspartą od dołu. Przez regularną siatkę otworów widział morze obmywające podpory platformy pięćdziesiąt metrów niżej.

Raptem jakiś mężczyzna złapał go za ramię w stalowym uścisku. Poprowadzono go razem z Farrellem obok pilota, który przekrzykiwał się z szefem obsługi lądowiska.

– Zatankuj maszynę. Chcę być na kontynencie, kiedy huragan uderzy.

– Możemy zamknąć ją w hangarze. Będziecie bezpieczni.

– Mów za siebie! Chcę dostać paliwo i już mnie tu nie ma!

Becka i kapitana popchnięto w stronę wysokich metalowych drzwi w nadbudówce. Nad nimi paliła się czerwona lampka. Jeden ze strażników przyłożył klucz elektroniczny do małego czujnika na ścianie i lampka zaświeciła się na zielono. Znaleźli się w środku.

ROZDZIAŁ 37

Drzwi zamknęły się za nimi ze szczękiem. Ich stopy stukały o stalową podłogę, gdy prowadzono ich przez korytarze, schodami w górę i w dół, w głąb platformy. Minęli jeszcze kilka elektronicznie zamykanych drzwi otwieranych kartami magnetycznymi. Beck pamiętał z dokumentu, który Abby podrzuciła Stevenowi, że ludzie nie powinni nawet wspominać o istnieniu „wyspy", a co dopiero na niej przebywać. To miejsce było objęte ścisłą tajemnicą.

Po całej platformie niósł się szum pracujących maszyn. Konstrukcja tętniła głębokim, basowym rytmem. Beck był ciekaw, czy to odgłos górniczego świdra.

Jeszcze jedne schody, jeszcze jeden terminal dostępu i znaleźli się w pomieszczeniu, które wyglądało na sterownię. Szereg płaskich ekranów mienił się barwną grafiką. Przed klawiaturami i monitorami komputerów siedziało około dwudziestu osób w białych fartuchach. Jedną ścianę zajmowały szafy i stojaki z serwerami. W tle słychać było cichy gwar technicznego żargonu, który nic Beckowi nie mówił – do czasu, aż usłyszał słowa „kontrolowany wybuch".

– Kontrolowane co?! – mruknął.

James i Abby już tam byli. Kobieta rozmawiała z jednym z członków załogi; chłopiec siedział sam, niemrawo majtając nogami. Podniósł wzrok, gdy wprowadzono Becka i Farrella do środka, a potem znów szybko go odwrócił.

Beck zauważył, że Blake'owie zrzucili kamizelki ratunkowe na mokrą stertę w rogu. Strażnicy pchnęli jego i kapitana w ten sam kąt. Więźniowie spojrzeli po sobie, a potem zdjęli kamizelki i cisnęli je na kupę z pozostałymi.

Najwyraźniej nie mogli liczyć na krzesła, więc Beck usiadł po turecku na podłodze. Po chwili dołączył do niego Farrell. Pilnował ich strażnik, popatrując na nich surowo. Poza tym nikt nie zwracał na nich uwagi. Beck znów się rozejrzał. Co mogli zrobić? Było stąd tylko jedno wyjście – drzwiami, którymi weszli. Załóżmy, że sforsowaliby jakoś ten zamek elektroniczny. Mogliby rzucić się do wyjścia. Ale wtedy znaleźliby się sami na platformie, nie mając dokąd uciec.

Może udałoby im się nawet wsiąść do jednej z kapsuł ratunkowych, które widzieli z pokładu śmigłowca. Huragan uderzy i wytrzęsie ich jak kamyki w blaszanej puszcze, ale przynajmniej się stąd wyrwą.

Farrell szturchnął go i Beck się odwrócił. Pogrążony w myślach, nie zauważył, że James się do nich przysunął. Chłopiec pocił się i wytrzeszczał oczy. Beck zmierzył go chłodnym wzrokiem i czekał, aż sam się odezwie.

– Oni... oni mają masę roboty przy tym kontrolowanym wybuchu... To czysta profilaktyka, no wiecie, żebyśmy nie siedzieli na bombie, gdy burza uderzy…

– Nie przyszedłeś gadać z nami o kontrolowanych wybuchach – odparł Beck.

James przełknął ciężko.

– Nie. Gdybyś sam urodził się w tej rodzinie… gdybyś wiedział… – Twarz Jamesa zmarszczyła się, jakby miał się za chwilę rozpłakać. Farrell odwrócił się z niesmakiem.

Beck nadał głosowi ton stanowczy, ale życzliwy. Rozpaczliwie potrzebowali sojusznika. Bo jakim prawem mógł go osądzać? Czy mógł być pewien, że nie stałby się taki sam, gdyby Abby Blake była jego matką, a Lumos rodzinną firmą?

– James, nie chcesz, żeby stała się nam krzywda, prawda? Wcale nie chciałeś nas zabić, prawda?

James gorączkowo pokręcił głową.

– Nie. Nie. Po prostu… Mama powiedziała… Ale… Słuchajcie, gdybyście stąd jednak uciekli, moglibyście… no wiecie, moglibyście… wziąć mnie ze sobą?

– Wziąć cię gdzie? – zdziwił się Beck.

– James! – przerwał im głos Abby z drugiego końca pomieszczenia. – Odsuń się od nich!

James posłał im ostatnie błagalne spojrzenie i wrócił na krzesło.

– Szkoda wysiłku, synu – mruknął Farrell.

– On jest przerażony – zauważył Beck. – Panicznie boi się matki i dziadka.

Kapitan burknął.

– I dlatego jest niebezpieczny. Nie możemy na nim polegać. Matka kiwnie palcem i wróci do niej z podkulonym ogonem.

Beck zmienił pozycję. Metalowa podłoga była zimna i twarda. Sięgnął po najbliższą kamizelkę ze sterty za nimi i przyciągnął do siebie, by podłożyć ją pod pośladki jak poduszkę.

– Ale myśli pan, że możemy stąd uciec?

– Na pewno nie zamierzam czekać na dziadka, synu. Jestem całkiem pewny, że nie będzie miał jaj, żeby ubrudzić sobie rąk. Będzie miał obstawę, gości z bronią i kulami, które poruszają się o wiele szybciej niż ja czy ty. – Kapitan zerknął na jedyne drzwi w sterowni. Jedna z techniczek właśnie otwierała je kartą. – Poza tym wszystko ma tu zabezpieczenia, więc nawet jeśli jakoś wydostaniemy się stąd, zatrzymają nas następne drzwi, i po ptakach.

Beck potaknął ze zrozumieniem.

Przetrwanie w dziczy – w tym miał wprawę. Ale przetrwanie wśród technologii wymagało zupełnie innych umiejętności, których zwyczajnie nie miał. Spróbował pomyśleć logicznie.

„Okej – powiedział sobie. – Wykorzystaj te same zasady przetrwania... tylko w innym środowisku. Osłona. Ratunek. Woda. Pożywienie. No dobra, osłona – a ta podłoga jest strasznie zimna. Zacznij od tego, Becku Grangerze".

Rozłożył kamizelkę ratunkową tak, żeby żadne paski ani zapięcia nie wpijały się w niego. Jego kciuk otarł się o coś twardego pod plastikiem. Spojrzał w dół i miał wrażenie, że widział znajomy kształt w przedniej kieszeni. Nagle serce zabiło mu mocniej. Wiedział, co to było.

Wsunął palce do kieszeni i natrafił na zimną, metalową obręcz. Powoli, nie zwracając na siebie uwagi, wyciągnął pierścionek Abby. To on poradził jej, żeby go zdjęła. Schowała go do kieszeni kamizelki, żeby nie prowokować rekinów. A teraz wpadł w ręce Becka.

Trącił łokciem Farrella i szybko pokazał mu obrączkę w otwartej dłoni, po czym zacisnął palce. Kapitanowi wyraźnie to nie zaimponowało.

– Bardzo ładny – rzucił od niechcenia.

– Nie pamięta pan? – Ściszył głos do szeptu, choć i tak trudno byłoby ich podsłuchać. – To za jego pomocą wyłączyła systemy na statku! To mikrokomputer... Możemy to powtórzyć. Jeśli odetniemy systemy platformy, może drzwi się otworzą?

Farrell nagle wydawał się bardzo zainteresowany. Zerknął na rząd komputerów po drugiej stronie sterowni.

– Takie miejsca jak to mają zabezpieczenia na wypadek awarii – stwierdził kapitan. – Jeśli stanie się coś złego, wszystko się otworzy, żeby nikt nie znalazł się w potrzasku. Myślisz, że tutaj to zadziała?

– Może – szepnął Beck.

– A potem co?

– Spróbujemy dotrzeć do kapsuły ratunkowej. Może nawet do śmigłowca. – Beck naprawdę nie miał pojęcia, a nie lubił działać bez planu. Wiedział jednak tyle, że wszystko było lepsze, niż siedzieć bezczynnie, czekając, aż dziadek Blake się nimi zajmie.

– Jak ona to zrobiła? Na statku?

Beck skrzywił się, próbując sobie przypomnieć, co wydarzyło się tamtej nocy na mostku. Nie miał pojęcia, co takiego zrobiła Abby. Z tego, co pamiętał, nie zrobiła nic.

– Po prostu… jakby… tam stała. James mówił, że ma wbudowany Bluetooth. Może po prostu automatyczne wykrywa najbliższy komputer i robi swoje.

– Nie. – Farrell pokręcił głową. – Gdyby tak było, wyłączałaby komputery na prawo i lewo, po prostu koło nich przechodząc. Musi być coś jeszcze.

– Ale tak było – upierał się Beck z frustracją. – Po prostu tam stała i stukała...

I nagle to zobaczył, jakby to było wczoraj. Postukała palcem – raz, drugi, trzeci – i wtedy monitory zgasły.

– Stukanie. Trzeba postukać. To pewnie uruchamia jakiś czujnik ruchu w środku.

– Może. – Kapitan nadal wydawał się nieprzekonany. – Innego wyjścia i tak raczej nie mamy. Ale najbliższe komputery są po drugiej stronie. – Skinął na nie głową. – Nie dopuszczą nas do nich.

– Musimy odwrócić ich uwagę.

Beck wiedział nawet, jak tego dokonać. Powoli, swobodnie, nie zwracając niczyjej uwagi, choćby strażnika, który był teraz odwrócony do nich plecami, przyglądając się technikom, wsadził rękę do kieszeni spodni i wyciągnął jedną z flar znalezionych w szalupie. Pierwszą zużyła Abby, żeby dać sygnał załodze helikoptera. On miał drugą.

Oczy Farrella się zaświeciły.

– Synu, podoba mi się, jak myślisz. – Rozejrzał się po raz ostatni. – Nie ma na co czekać.

– Nie ma – zgodził się Beck.

Wycelował flarę w sufit, nabrał głęboko powietrza i pociągnął za zawleczkę.

ROZDZIAŁ 38

Flara wybuchła z odgłosem przypominającym wystrzał, który poniósł się echem między metalowymi ścianami. Miniaturowa kula ognia jaśniejsza niż słońce odbiła się rykoszetem od sufitu, od podłogi, przetoczyła się przez pomieszczenie, uderzyła w ścianę i znów się odbiła. Czerwony dym zaczął buchać jak z kieszonkowej elektrowni na sterydach.

Załoga i technicy podskakiwali i uchylali się przed nią w popłochu. Flara wypalała obrazy w oczach każdego, kto spojrzał wprost na nią. Wystarczył rzut oka, by oślepnąć na następne trzydzieści sekund.

Co było Beckowi akurat na rękę. Jak tylko wyciągnął zawleczkę, skoczył w kierunku komputerów. Miał gorącą nadzieję, że dobrze odgadł zasadę działania pierścionka. W przeciwnym razie strasznie się wygłupi, a ludzie Lumosu nie będą w nastroju do wyrozumiałości.

Wybrał najważniejszy na oko sprzęt i trzy razy postukał w niego pierścionkiem. Działaj, działaj, działaj!

Usłyszał, jak ktoś krzyknął: „Hej!". W tym samym momencie rząd świecących się na zielono diod nagle zmienił kolor na czerwony. Inne światełka, które dotąd pulsowały wolno i miarowo, raptem zaczęły chaotycznie migotać. Lampka nad drzwiami zgasła, pokój wypełnił ryk klaksonu. Beck rzucił się do drzwi, przy których czekał już na niego Farrell.

Strażnik biegł w stronę flary, która nadal syczała gwałtownie na podłodze, buchając obłokami czerwonego dymu. Cała reszta przekrzykiwała się stłoczona wokół jednego z komputerów. Beck rozumiał piąte przez dziesiąte z tego technicznego żargonu.

– Regulatory padły!

– Nie mamy redukcji...

– Utrata kontroli...

Abby znajdowała się w samym środku tej wrzawy. James stał z boku, przerażony. Spojrzał w oczy Beckowi i posłał mu pełen uznania nerwowy uśmiech. Farrell szarpnął Becka za ramię.

– Chodź! Teraz już naprawdę musimy się stąd zbierać!

– Ale... – sprzeciwił się Beck. Nadal słyszał w głowie rozpaczliwe błaganie Jamesa: „Moglibyście wziąć mnie ze sobą?".

– Żadnych ale. – Kapitan wywlekł go ze sterowni i niemal cisnął przez korytarz przed siebie. Beck zatoczył się na metalową ścianę i oderwał rękę zc zdziwieniem. Metal się trząsł. – Jeśli pamiętasz, ci goście przeprowadzali tam właśnie kontrolowany wybuch hydratu metanu.

– Słuszna uwaga – Beck rzucił z przekąsem, przekrzykując hałas i zgiełk.

Z głośnika nad nimi ryknął klakson, a po platformie poniosło się echo ludzkiego głosu dobiegającego z megafonu: „Uwaga załoga, przygotować się. Uwaga załoga, przygotować się...".

– I jeśli dobrze rozumiem, właśnie stracili nad tym kontrolę... – Farrell przekrzyczał komunikat.

Beck przełknął.

– Hydrat metanu... wybucha...

– Tuż pod platformą. Tak. Więc chodź.

Beck nie mógł się zatrzymać i zastanowić się nad tym, co zrobił. Teraz cały korytarz się trząsł. Na samej granicy słyszalności docierało do niego niskie, basowe dudnienie, a przez nie przebijały się nieco głośniejsze ludzkie głosy i paniczne krzyki. Nagle platforma zadygotała, jak pod uderzeniem olbrzymiej ręki. Podłoga zachwiała się i przechyliła. Beck i Farrell musieli schodzić po stromiźnie, słaniając się na nogach. Raptem padli na twarz, gdy podłoga znów się podniosła. Ich uszy wypełnił potężny ryk. Beck słyszał już kiedyś wybuch wulkanu – ten dźwięk był głośniejszy. Dochodził tuż spod nich. Rozlegał się długo, a cała platforma trzęsła się i drgała wraz z nim. Do kakofonii dołączył potężny zgrzyt i trzask naprężonego metalu. Przypominał odgłos dobywający się z głębi tonącego

„Morskiego Obłoku", tylko jakby po tysiąckroć zwielokrotniony.

Minęli znak ze strzałką wskazującą drogę do kapsuł ratunkowych.

– Eee… – Beck się zawahał.

Farrell pokręcił głową.

– Wszyscy będą tam walić. I dalej będziemy więźniami Lumosu. Potrzebujemy śmigłowca. Jeśli wciąż tu jest.

Alarm nadal ryczał miarowo. Głos z megafonu odezwał się znowu: „Uwaga załoga, przygotować się, nadchodzi kolejny…".

Było nawet gorzej niż poprzednio. Podłoga uciekła im spod nóg i podniosła się, zanim jeszcze skończyli upadać, wybijając całe powietrze z płuc Becka. Odnalazł wzrokiem Farrella. Krzywiąc się i stękając z bólu, podnieśli się na nogi.

„Uwaga załoga, opuścić platformę! Uwaga załoga, opuścić platformę!".

ROZDZIAŁ 39

I znów niemal ścięło ich z nóg, gdy fala spanikowanych kobiet i mężczyzn przetoczyła się obok nich przez korytarz, kierując się do kapsuł ratunkowych.

„Powodzenia", pomyślał Beck. Nie chciałby znaleźć się w jednej z nich, żeby miotały i szarpały nim fale, a potem rozerwała go na strzępy ogromna podwodna eksplozja.

Jeszcze jedne schody i znaleźli się przy znajomo wyglądających metalowych drzwiach. Farrell naparł na nie ramieniem i wygramolili się na lądowisko.

Serce Becka urosło. Helikopter wciąż tam był. Pilot właśnie do niego wsiadał. Mężczyzna spojrzał za siebie, zobaczył ich i nerwowo pomachał ręką, żeby się pospieszyli.

Silny wiatr smagał ich w twarz – zapowiedź nadchodzącej burzy. Ocean pienił się i kotłował. Platforma przechyliła się raz i drugi, i tym razem nic nie wskazywało na to, by miała się wyprostować. Żywioły szalejące pod powierzchnią odrywały kawały metalu z jej nóg.

Pilot wdrapywał się już do kabiny. Potężne turbiny śmigłowca zaskoczyły, odzywając się wysokim wyciem, coraz głośniejszym w miarę, jak łopatki wirników zaczęły się obracać. Jeśli Beck dobrze pamiętał, silniki potrzebowały minuty, żeby w pełni się rozkręcić i unieść maszynę. To będzie długa minuta.

Beck postawił już nogę na stopniu, żeby wejść do kabiny, gdy nagle zatrzymał się i zerknął za siebie. Farrell spojrzał na niego jak na szaleńca.

– Beck? Co się stało?

– James… – wydyszał chłopiec. – Prosił, żebyśmy wzięli go z sobą.

– James potrafi o siebie zadbać… A ty dokąd?

Beck zrobił kilka kroków w stronę nadbudówki. Po prostu nie mógł uciec ot, tak. Farrell miał rację co do Jamesa – on był słaby, i przestraszony. Połowy z tego, co się stało, można było uniknąć, gdyby chłopak po prostu postawił się matce i dziadkowi. James poprosił jednak Becka, żeby zabrał go z sobą, a to musiało kosztować go całą odwagę, jaką miał w sobie. Powiedział, co powiedział, bo znał Becka – czytał o jego przygodach i przeżył nawet jedną wraz z nim. James wierzył, że Beck mu jakoś pomoże. Nie mógł zawieść tej wiary.

Drzwi przed nim się otworzyły i poczuł, jak twarz zaczyna mu się rozciągać w wielkim uśmiechu, bo stanął w nich James. Uczucie ulgi spłynęło po nim jak chlust zimnej wody.

James zatoczył się jednak w przód i za nim pojawiła się Abby. Jedną ręką trzymała syna za kołnierz. Wzrok miała błędny, a twarz wykrzywioną nienawiścią. Uwaga Becka skupiła się jednak na jej drugiej ręce, która wymachiwała pistoletem.

Zobaczyła Becka, jej oczy się zwęziły. Wycelowała pistolet wprost w niego i strzeliła.

ROZDZIAŁ 40

Beck rzucił się w bok.

Kula uderzyła z brzękiem w metalowy pokład kilka metrów dalej. Abby strzelała z wolnej ręki. Odrzut pistoletu i trzęsąca się platforma sprawiały, że bardzo trudno było jej trafić w cokolwiek, co znajdowało się więcej niż kilka metrów od niej.

– Nie! – zakrzyknął James i rzucił się na matkę, uniemożliwiając jej oddanie kolejnego strzału. Uderzyła go na odlew kolbą i nastolatek upadł na pokład, trzymając się za twarz. Znów wycelowała. Tym razem użyła obu rąk, rozstawiając nogi, jak zawodowy strzelec.

Beck spoglądał prosto w lufę pistoletu. Serce kołatało mu w piersi i czuł, że czas zwolnił. Nie mógł uskoczyć przed kulą. Musiałby wybić się, jeszcze zanim Abby naciśnie spust…

I właśnie wtedy, jakby za sprawą boskiej interwencji, wstrząsnął nimi najpotężniejszy z dotychczasowych wybuchów. Naprężony metal zazgrzytał w proteście. Przez okratowanie lądowiska trysnęły krople wody i para. Beck i Abby upadli na kolana. Powietrze przeciął kolejny niecelny strzał. Kawały metalu odrywały się od platformy pod lądowiskiem, opadając w kipiel jakby w zwolnionym tempie.

Metal z wieży wiertniczej runął na pokład z brzękiem i zgrzytem. Beck wytrzeszczył oczy, gdy zauważył kątem oka coś lecącego w dół. To metalowa rozpora oderwała się od nadbudówki. Odruchowo otworzył usta, ale było za późno na ostrzeżenia. Usłyszał wysoki, przenikliwy krzyk Abby w chwili, gdy rozpora runęła na nią, przydusząc ją do pokładu i wyrywając jej z ręki pistolet. Leżała z biodrami przygniecionymi rozporą i twarzą naznaczoną cierpieniem.

– Mamo! – zawołał James. Chwycił za wolny koniec rozpory i próbował ją unieść. Zwrócił się z błagalną miną do Becka. – Pomóż mi, proszę!

Beck mógł jedynie wyobrażać sobie, jakie uczucia targały Jamesem. Cierpiał, udręczony i skrzywiony psychicznie przez złe wychowanie, pragnąc jedynie być wolnym... był też jednak synem, który nie mógł znieść widoku straszliwie cierpiącej matki.

Beck też nie mógł się temu bezczynnie przyglądać. Pospieszył Jamesowi z pomocą – choć najpierw dla pewności strącił nogą pistolet z platformy.

Ból musiał być okropny. Z pozycji, w jakiej leżała Abby, Beck wywnioskował, że ma złamaną miednicę i kości strzaskane zapewne w co najmniej kilku miejscach. Jednak oprócz tego jednego krzyku, gdy rozpora w nią uderzyła, nie wydała z siebie żadnego dźwięku. Twarz miała bladą jak ściana i ściągniętą, ale w jej oczach wciąż płonęła wściekłość. Skierowała nienawistny wzrok na Becka.

– To twoja wina – syknęła.

Jakby próbowała wstrzyknąć mu jad do serca. Wciągnąć go w swój świat pełen winy i podejrzliwości. I przez pół sekundy prawie jej się udało. Zaczęły nawiedzać go złe myśli. O tej platformie, którą zaraz rozerwą eksplozje – spowodowane przez niego, bo to on doprowadził do awarii komputerów…

Nie chciał jednak tu być, nie prosił się o to. Próbował uciec. Znalazł się tu tylko dlatego, że ta kobieta – której życie starał się uratować – nienawidziła go i chciała go zabić. I to nie on był na tyle głupi, żeby próbować dowiercić się do wyjątkowo niestabilnej i wybuchowej substancji. To zupełnie nie była jego wina.

– Niech się już pani nie pogrąża – mruknął i wytężył siły, próbując unieść rozporę.

– Beck! – Farrell przykucnął przy nim, przekrzykując hałas wybuchów, silników śmigłowca i burzy. – Helikopter zaraz odleci! Musimy iść!

– Pomóż mi! – zakrzyknął Beck.

– Potrzeba by pięciu mężczyzn, żeby to podnieść. Chodź, musimy iść!

– Ale... – „Nigdy się nie poddawaj", powiedział sobie zawzięcie. Rozejrzał się wokół z rozpaczą.

Śmigłowiec! Gdyby znaleźli łańcuch i przywiązali jeden koniec do rozpory, a drugi do maszyny, może mogliby ją unieść...

Kapitan złapał go za ramię.

– Weź Jamesa i chodź! Już! – Spojrzał chłodno na Abby. – Bez obrazy, paniusiu.

I wtedy Abby chwyciła Jamesa gwałtownie za ramię.

– Jeśli platforma zatonie, to my razem z nią! – krzyknęła.

– Nie zostawię Jamesa... ani Abby! Wszyscy stąd uciekniemy. – Beck włożył całą siłę, próbując pchnąć rozporę. Ani drgnęła. Ryknął, dając upust frustracji i bezradności.

I nagle, ku jego przerażeniu, poczuł, że ramię Farrella owinęło się wokół jego piersi i poderwało w górę.

– Nie! – wrzasnął. Szarpał się i kopał, próbując się wyrwać, lecz kapitan był od niego większy i silniejszy. Gdyby znalazł jakiekolwiek oparcie, mógłby się uwolnić, ale Farrell trzymał go nad ziemią przez całą drogę do śmigłowca. Wrzucił go do kabiny i wdrapał się za nim w tej samej chwili. Beck wylądował z głuchym łoskotem i błyskawicznie poderwał się na czworaka, żeby wyskoczyć – ale wtedy usłyszał ryk silników, a chwilkę potem helikopter poderwał się z pokładu.

Beck osunął się na podłogę, zmagając się teraz z przyspieszeniem śmigłowca, ale zaraz ponownie skoczył do otwartych drzwi.

Farrell rzucił się na niego i obalił go na podłogę. Beck wylądował w połowie w kabinie, w połowie za drzwiami, z nogami przyduszonymi ciężarem kapitana.

– To koniec! – krzyknął Farrell. Beck widział już, że to prawda. Byli dziesięć metrów nad platformą i wznosili się coraz wyżej. Połamałby sobie kręgosłup i nikomu by to nie pomogło.

Farrell wciągnął go do kabiny. Beck podniósł się, łypiąc gniewnie na kapitana i odtrącając jego rękę. Przykucnął przy drzwiach kabiny i spojrzał z rozpaczą na platformę.

Była przechylona w bok, ocean pienił się biało pod nią. Podwodne wybuchy wyrzucały w górę obłoki pary, które ją spowijały, jakby morze starało się ukryć fakt, że konstrukcja powoli się rozpadała. Dźwigi, kabiny, kratownice odrywały się i spadały do wody. I nagle woda podniosła się w ogromnej chmurze kipiącej, skłębionej pary, a z głębi buchnęła pomarańczowa kula ognia, pochłaniając platformę raz na zawsze.

Fala uderzeniowa dosięgła śmigłowca, a ten zakołysał się, obracając się gwałtownie, jakby miał spaść z nieba. Becka szarpnęło w tył i wpadł do kabiny. Kiedy maszyna wyrównała lot, a chłopiec znalazł się ponownie przy drzwiach, jedynym śladem po „wyspie" była stopniowo opadająca piana.

Niebo nad kipielą zrobiło się zupełnie czarne, zapowiadając rychłe nadejście huraganu.

ROZDZIAŁ 41

„Wszyscy nasi pracownicy to wysokiej klasy specjaliści, którzy mają pełną świadomość zagrożeń związanych z ich pracą. Są doskonale wyszkoleni i potrafią poradzić sobie z sytuacją taką jak ta. Ewakuacja Wyspy Alfa przebiegła w sposób podręcznikowy".

Na ekranie telewizora w pokoju hotelowym Becka widniał jedynie pusty bezkres oceanu. Morze było spokojne, fale niebieskie i połyskujące.

Potem obraz się zmienił i pojawił się na nim mężczyzna w eleganckim szarym garniturze. Stał przed nowoczesnym biurowcem w centrum Miami. Jego poza tym łysą głowę okalał pas białych włosów. Twarz miał szczupłą, oczy wąskie i przenikliwe. Jego tożsamość zdradzał podpis na dole: EDWIN BLAKE.

Beck znienawidził go od pierwszego wejrzenia. Mężczyznę otaczało stado reporterów, ale jeden szczególnie podtykał mu mikrofon pod samą twarz.

„Była jednak jedna ofiara śmiertelna" – zauważył dziennikarz.

Blake zamilkł, potem skinął głową.

„Rozmawiałem z częścią ocalonych. Wszyscy zgadzali się co do tego, że moja córka Abby oddała życie, nalegając, by najpierw pomóc innym". Urwał i wziął wdech, który lekko zadrżał.

Bezbłędnie grał rolę człowieka zmagającego się z żalem. Gdyby chodziło o kogoś innego, Beck dałby się nabrać. Wiedząc jednak, co wiedział, o założycielu Lumosu, nie wierzył w ani jedno słowo.

„Była najwyższym rangą przedstawicielem dyrekcji Lumosu na Wyspie Alfa i myślała przede wszystkim o pracownikach naszej firmy, z typową dla siebie troską o ludzi. Wszystkim nam będzie jej bardzo brakowało…”.

„Może pan wykluczyć możliwość sabotażu?”.

„Bynajmniej. Bierzemy pod uwagę wszystkie możliwości. – Jastrzębie oczy Blake wwierciły się w kamerę i w Becka. Blake kierował słowa do wszystkich widzów transmisji, ale Beck nie miał wątpliwości, że chodziło mu tylko o jednego człowieka. – Oczywiście, będziemy współpracować w pełni z amerykańskimi śledczymi. Ale muszę jeszcze raz podkreślić, że jeśli sabotaż zostanie udowodniony – jeśli, na przykład, okaże się, że ktoś włamał się do komputerów, które monitorowały ciśnienie w rurociągu w czasie kontrolowanego wybuchu – poruszymy niebo i ziemię, by znaleźć sprawcę. Niebo i ziemię. Nigdzie się nie ukryjesz. Ziemia nie jest aż taka duża. Znajdziemy cię i oddamy w ręce sprawiedliwości”.

– O tak, sprawiedliwości stanie się zadość – mruknął Beck. Wyszedł na balkon, podczas gdy Blake kontynuował swój występ przed kamerami.

„Chciałbym podkreślić, że środowisko w żaden sposób nie ucierpiało – Lumos bardzo poważnie traktuje swoje obowiązki wobec naszej planety – i mogę jedynie powtórzyć, że wszystko przebiegło w sposób podręcznikowy…”.

– Wyłącz to! – poprosił cicho Beck. Wychylił się przez poręcz balkonu i spojrzał na plażę w Miami i morze majaczące w oddali.

Chwilę później na balkonie dołączył do niego wuj Al. Przyleciał do Miami pierwszy dostępnym lotem, gdy tylko pojawiły się informacje o zaginięciu „Morskiego Obłoku”. Musiał postawić pierwszy krok na terytorium USA w tym samym czasie co Beck.

– No, a James się uratował? – zagadnął Al.

– Może – mruknął Beck. – Modlę się o to.

I tak było. Do końca życia zapamięta wyraz szoku i zdrady na twarzy Jamesa, gdy Farrell ciągnął Becka do śmigłowca. Ucieszy się, jeśli znajdą Jamesa żywego. Jeśli okaże się, że zginął, albo w ogóle go nie odnajdą, będzie zrozpaczony.

Poczuje się, jakby sam wbił mu nóż w plecy. Będzie mu żal nie tylko chłopca, który zmarł, ale też chłopca, który w ogóle nie żył – przyzwoitego, sympatycznego, uczciwego gościa, którym James mógłby zostać.

Nie mógł czuć żalu po Abby. Smuciła go jej śmierć, bo nikt nie zasłużył na to, by zginąć w ten sposób. Ale nie mógł jej żałować.

Pilot helikoptera przekazał władzom swoją wersję wydarzeń zaraz po wylądowaniu w Miami. Nikt jej nie podważał, nawet Beck. Został zatrudniony tylko po to, by pilotować maszynę, i był już gotowy odlecieć na kontynent, ale w ostatnim momencie zabrał Farrella i Becka, i odlecieli razem tuż przed zatonięciem platformy.

Beck i Farrell podali amerykańskiej straży przybrzeżnej przybliżone koordynaty wyspy, na której wylądowali po opuszczeniu „Morskiego Obłoku". W tej chwili szukano jej, mając nadzieję odzyskać ciało Stevena – o ile jeszcze tam było po przejściu huraganu.

– Taksówka już czeka – powiedział wuj Al.

Beck spojrzał po raz ostatni na tropikalną scenerię. Jasne słońce. Palmy. Słońce, morze, piasek. Ludzie opalający się albo pluskający się w wodzie.

– Zabierajmy się stąd.

Musieli przeżyć jeszcze jedną męczarnię, która zaczęła się w chwili, gdy drzwi windy otworzyły się na korytarz.

– Beck! Beck! – Przed jego twarzą eksplodowały flesze. – Słyszałeś, co Lumos miał do powiedzenia?

– Chciałbyś coś dodać?

– Co czułeś, gdy widziałeś katastrofę platformy?

Al przepchnął się przez zgraję reporterów, torując im drogę walizką niczym taranem, nie przejmując się za bardzo tym, kogo nią zdzieli. Beck podążył oczyszczoną przez wujka drogą. Obaj rzucili jedynie krótkie „Bez komentarza".

Długo myśleli o odniesieniu się do tej sprawy. Beck miał dużo do powiedzenia. Ale kto by uwierzył na słowo jednemu nastolatkowi?

Rozmawiał z Farrellem. Prawnik Lumosu zdążył już złożyć mu kurtuazyjną wizytę. Z uśmiechem, bez żadnych gróźb i nie mówiąc nic, co mogłoby go obciążyć, przypomniał kapitanowi o kilku brutalnych faktach. Farrell był skompromitowanym kapitanem, którego już wcześniej podejrzewano o stratę jednego statku w wyniku niedopełnienia obowiązków, a teraz miał na sumieniu drugą jednostkę. Lumos mógł – gdyby zechciał – pogrążyć go na dobre. Firmowi prawnicy i PR-owcy mogli postarać się o to, by już nigdy w życiu nie znalazł pracy. Nie miałby szans odeprzeć takiego zmasowanego ataku, na jaki było ich stać.

Farrell nie był tchórzem. Był gotów zaryzykować wszystko, byle sprzymierzyć się z Beckiem i przejść do kontrataku. Beck powiedział mu, że już wystarczająco dokuczył Lumosowi. To nie była już jego walka.

Sam jednak nie bał się Lumosu. Nie mogli mu zaszkodzić tak jak Farrellowi. Koncern nie mógł zaszkodzić jego perspektywom zawodowym. Po ukończeniu szkoły zamierzał pracować dla Jednostki Zielonej i Lumos nie mógł nic na to poradzić. Jak to powiedział James na tamtej wyspie, Beck też dołączy do „firmy rodzinnej".

Walizki powędrowały do bagażnika taksówki. Beck i Al usiedli z tyłu i zamknęli drzwi.

– Na lotnisko, poproszę – poinstruował Al.

Taksówka ruszyła, zostawiając tłum dziennikarzy za sobą.

Przez jakiś czas żaden z nich się nie odzywał. Nagle ciszę przerwał Al:

– Zdążymy akurat na Gwiazdkę. Ostrzegam, że nie miałem za dużo czasu na zakupy. Spodziewaj się pustej skarpety.

Beck zdobył się na znużony uśmiech.

– Zaskocz mnie – odparł i oparł się o siedzenie.

Nie mógł doczekać się świąt. Spodoba mu się normalność angielskiego grudnia. Niech będzie zimno, niech leje. Potrzebował przerwy. Potrzebował czasu, żeby odpocząć, podładować baterie i odzyskać siły z myślą o czekającej go bitwie.

W uszach wciąż dźwięczały mu ostatnie słowa Blake'a. Założyciel Lumosu musiał już wiedzieć, że Beck wciąż żyje. Lumos na pewno się o niego upomni.

Chyba że Beck będzie szybszy.

EPILOG

Tępy koniec patyka znów ześliznął się z podkładki. Brudny, przemoczony i posiniaczony chłopiec krzyknął z frustracji i odrzucił go najdalej, jak mógł. W pobliżu nie było nikogo poza mewami, kto mógł go zobaczyć albo usłyszeć.

– Jak on to robi? Jak on to robi?

W rękach Becka wydawało się to takie proste. Wbij świder w podkładkę, pokręć i już – masz ogień. Ilekroć James tego próbował, wiertnik nie chciał go słuchać.

Już on się postara, żeby posłuchał. Zmusił się, by podnieść się na nogi, i ruszył usłaną szczątkami plażą, aż znalazł patyk. Potem wrócił do stosu, z którego powstanie ognisko. Szlochając z frustracji i bólu w popękanych, pokrytych pęcherzami dłoniach, zaczął od nowa.

Mogła być to ta sama wyspa, na której wylądowali szalupą. Nie mógł mieć jednak pewności. Burza zrównała z ziemią wszystkie jej cechy rozpoznawcze.

Śmigłowiec terkotał i wył. Beck został zaciągnięty do środka, zostawiając Jamesa na śmierć. Beck go zdradził. Okłamał. Pozwolił się uratować i zostawił go na śmierć.

James, płacząc, szarpał co sił za rozporę, która przydusiła jego matkę. I wtedy zobaczył innego członka załogi. Mężczyzna ten odwrócił się, by po raz ostatni spojrzeć na platformę, a potem zrobił to, co Farrell. Dźwignął Jamesa i zaciągnął ze sobą do kapsuły. Tyle że James przez całą drogę krzyczał o matkę.

Mężczyzna wrzucił go do kapsuły i miał już sam do niej wsiąść, gdy platforma wybuchła. James był całkowicie pewny, że eksplozja zrzuciła go z pokładu. Jak przez mgłę pamiętał hałas i ból. Znajdował się w samym sercu wybuchu, musiał więc latać w środku jak ziarnko grochu w strąku. Kapsuła to była jednak zupełnie inna technologia niż szalupa z „Morskiego Obłoku". Miała twardą plastikową powłokę, która uszczelniła się automatycznie po odłączeniu się od Wyspy Alfa i wybuch jej nie uszkodził.

James nie zginął. Tylko ta część jego duszy, która była zdolna do radości, śmiechu i miłości, umarła na Wyspie Alfa.

Gdy się obudził, zorientował się, że kapsułę wyrzuciło na brzeg wyspy. Wciąż tam była, na plaży. Jaskrawopomarańczowa, więc nikt nie mógł jej przeoczyć. Pełna racji żywnościowych, więc nie umrze z głodu. Wiedział, że prędzej czy później ktoś tu przypłynie, żeby go uratować.

Odtąd jednak James nie zamierzał na nikim polegać. Przetrwa dzięki własnym umiejętnościom. Dlatego rozpalał ogień. Musiało mu się udać. Musiał się tego nauczyć. Napędzany nienawiścią, która płonęła w nim gorąco jak reaktor atomowy, musiał być silny i twardy, by wypełnić swoje przeznaczenie, które teraz stało się dla niego jasne.

Przetrwa. Zemści się. Jakoś.

PORADNIK SURVIVALOWY BEARA GRYLLSA

Nawigacja według gwiazd

Nawigacja według gwiazd – czyli astronawigacja – to jedna z najstarszych znanych ludzkości metod ustalania kierunku. Z pewnością może stanowić przedmiot szczegółowych analiz, ale odrobina wiedzy może być bardzo pomocna, gdy podróżujesz nocą, bo możesz wykorzystać gwiazdy do ustalenia kierunku. Gwiazdy, których użyjesz, zależą od półkuli, na której jesteś.

Półkula północna

Na półkuli północnej najbardziej użyteczną gwiazdą jest Gwiazda Polarna (Polaris). Jeśli będziesz iść w jej stronę, zawsze będziesz kierować się na północ. Za jej pomocą możesz też wyznaczyć pozostałe kierunki.

Wbrew powszechnie panującemu mitowi Gwiazda Polarna nie jest najjaśniejszą gwiazdą na niebie. Łatwo ją jednak znaleźć, o ile nauczysz się rozpoznawać trzy gwiazdozbiory: Małą Niedźwiedzicę (Mały Wóz), Wielką Niedźwiedzicę (Wielki Wóz) oraz Kasjopeję.

Gwiazda Polarna jest gwiazdą na samym czubku dyszla Małego Wozu.

Mały Wóz nie zawsze jest jednak widoczny. W takim przypadku musisz poszukać Wielkiego Wozu i Kasjopei.

Jeśli wyprowadzisz linię prostą z dwóch gwiazd tworzących dalszy bok Wielkiego Wozu, dotrzesz do Gwiazdy Polarnej. Znajduje się ona na przedłużeniu tej linii, w odległości równej mniej więcej czterokrotnej długości odcinka między ostatnimi dwoma gwiazdami Wielkiego Wozu. Kasjopeja przypomina koślawe „W" albo „M" przewrócone na bok. Jeśli narysujesz linię prostą od środkowej gwiazdy Kasjopei, dotrzesz do Gwiazdy Północnej. Znajduje się ona mniej więcej w połowie drogi między gwiazdozbiorami.

Półkula południowa

Gwiazda Polarna jest niewidoczna z większości miejsc na półkuli południowej, musisz więc posiłkować się tam innym gwiazdozbiorem, Krzyżem Południa. Pomoże ci on ustalić, w którą stronę jest południe.

Wyobraź sobie, że przedłużasz pięć razy dłuższe ramię Krzyża Południa. Z tego wyobrażonego punktu na niebie poprowadź pionową linię do samej ziemi. Kierunek z miejsca, w którym się znajdujesz, do tego punktu na ziemi, to południe.

O AUTORZE

Bear Grylls od zawsze kocha przygody. Alpinista, odkrywca, ma czarny pas w karate. Przeszedł szkolenie w brytyjskich oddziałach specjalnych SAS, gdzie nauczył się sztuki przetrwania. W wieku 21 lat przeżył ciężki wypadek podczas skoku spadochronowego – złamał kręgosłup w trzech miejscach. Mimo to po dwóch latach rehabilitacji zrealizował swe dziecięce marzenie i jako najmłodszy Brytyjczyk w historii stanął na szczycie Mount Everestu. Wyczyn ten odnotowano w *Księdze rekordów Guinnessa*. Jest znany dzięki swym fascynującym wyprawom oraz programom, które przed telewizorami gromadzą ponad miliard widzów w 150 krajach.

Atak rekina to kolejna część ekscytującej serii dla młodzieży *Misja: przetrwanie*, autorstwa mistrza survivalu, Beara Gryllsa.

Tytuł oryginalny: *Strike of the Shark*
Autor: Bear Grylls
Tłumaczenie: Kamil Lesiew
Redakcja: Maria Białek
Korekta: Aleksandra Tykarska
Skład: Jerzy Najder
Ilustracja: Michał Sowa
Projekt graficzny okładki: Marcin Pytlowany
Zdjęcia: Discovery s. 303, Shutterstock/wawritto (ikonka rekina)
Mapy: Jacek Majerczak

Redaktor prowadzący: Agnieszka Górecka
Redaktor naczelna: Agnieszka Hetnał

Bielsko-Biała 2016
Wydawnictwo Pascal sp. z o.o.
ul. Zapora 25
43-382 Bielsko-Biała
tel. 338282828, fax 338282829
pascal@pascal.pl, www.pascal.pl

ISBN 978-83-7642-658-7

Wydrukowano na papierze Creamy Hi Bulk 53 g dostarczonym przez Zing Sp. z o.o.